INTRODUÇÃO AO PROJETO DE PESQUISA CIENTÍFICA

FICHA CATALOGRÁFICA

CIP-Brasil. Catalogação-na-fonte
Sindicato Nacional dos Editores de Livros, RJ

Rudio, Franz Victor

R821i Introdução ao projeto de pesquisa científica / Franz Victor Rudio. 43. ed. – Petrópolis, RJ: Vozes, 2015.

Apêndice: Um modelo didático para o projeto.

4ª reimpressão, 2019.

ISBN 978-85-326-0027-1

Bibliografia.

1. Pesquisa. I. Título.

CDD – 001.43
78-0134 CDU – 001.891

FRANZ VICTOR RUDIO

INTRODUÇÃO AO PROJETO DE PESQUISA CIENTÍFICA

Petrópolis

Rua Frei Luís, 100
25689-900 Petrópolis, RJ
www.vozes.com.br
Brasil

Capa: Josiane Furiati

ISBN 978-85-326-0027-1

Editado conforme o novo acordo ortográfico.

Este livro foi composto e impresso pela Editora Vozes Ltda.

SUMÁRIO

INTRODUÇÃO

Este trabalho se destina aos principiantes, isto é, aos que estão se iniciando no estudo de *métodos e técnicas de pesquisa científica*. E seu objetivo é servir de roteiro para ajudar os alunos a acompanharem as explicações e outras orientações dadas pelo professor.

O nosso intuito é apresentar, de maneira simples, as noções básicas necessárias à *elaboração de um projeto de pesquisa*. Faremos continuamente indicações de como se executar uma pesquisa; entretanto este procedimento tem apenas a função de mostrar como se prepara um projeto. Talvez devêssemos ainda acrescentar: o meio mais eficaz de alguém realizar uma boa pesquisa é elaborar um bom projeto da mesma.

Deve ser permanentemente lembrado pelo leitor o caráter introdutório deste nosso estudo e que está lidando com noções elementares, cuja finalidade é serem ultrapassadas pela reflexão e experiência, em busca de maior profundidade.

No começo, este trabalho foi mimeografado. Alguns colegas tiveram a delicadeza de utilizá-lo em sala de aula. Tanto destes como de outros, que tiveram a bondade de lê-lo, recebemos valiosas críticas e sugestões que serviram para refundi-lo e apresentá-lo, tal como aparece agora, esperando novas críticas e sugestões. Como se torna impossível, em tão pequeno espaço, dizer da contribuição de cada um, manifesto a todos, de maneira global, os meus sinceros agradecimentos. E se for verdade, como disseram, que este livro será útil aos alunos (e de fato para isto foi feito), penso que uma das mais gratas recompensas é saber que os esforços de colaboração beneficiaram a quem se desejava.

O AUTOR

CAPÍTULO I

O problema metodológico da pesquisa

1. Noções preliminares

"Pesquisa", no sentido mais amplo, é um conjunto de atividades orientadas para a busca de um determinado conhecimento. A fim de merecer o qualificativo de *científica*, a pesquisa deve ser feita de modo sistematizado, utilizando para isto método próprio e técnicas específicas e procurando um conhecimento que se refira à realidade empírica. Os resultados, assim obtidos, devem ser apresentados de forma peculiar.

Desta maneira, a pesquisa científica se distingue de outra modalidade qualquer de pesquisa pelo *método*, pelas *técnicas*, por estar *voltada para a realidade empírica* e *pela forma de comunicar* o conhecimento obtido.

Vejamos agora, numa visão resumida e de conjunto, o que significa cada um destes conceitos: a) *conhecimento da realidade empírica* e b) *características do método de pesquisa científica*. E, no capítulo seguinte, veremos c) *comunicação e conhecimento científico*.

2. Conhecimento da realidade empírica

O termo "realidade" se refere a tudo que existe, em oposição ao que é mera possibilidade, ilusão, imaginação e mera idealização. "Empírico" refere-se à experiência. Chama-se de "realidade empírica" tudo que existe e pode ser conhecido através da experiência. Por sua vez, "experiência" é o conhecimento que nos é transmitido pelos sentidos e pela consciência. Fala-se de "experiência externa" para indicar o que conhecemos por meio dos sentidos corpóreos, externos. A "experiência interna" indica o conhecimento de estados e processos interiores que obtemos através da nossa consciência. Denomina-se "introspecção" à ação de conhecer pela experiência interna o que se passa dentro de nós.

A realidade empírica se revela a nós por meio de *fatos*. Este termo – "fato" – possui diversos significados. Nós o usaremos para indicar qualquer coisa que existe na realidade. Assim, por exemplo, este *livro* é um fato. Mas, também, é um fato que o *leitor está lendo este livro*. As *palavras* que se encontram escritas neste livro são fatos. Mas não são fatos as ideias que elas contêm, pois não existem na realidade. Quando o leitor, vendo as palavras, age mentalmente para transformá-las em ideias, a ação que está realizando, de *elaboração mental*, torna-se um fato. O *livro*, as *palavras* que o livro contém e o *leitor está lendo este livro* são fatos percebidos pela experiência externa. A *elaboração mental*, pela qual as palavras se transformam em ideias, é um fato que pode ser percebido pela experiência interna.

Utiliza-se frequentemente a expressão "isto é um fato" para se afirmar que algo é verdadeiro. Ora, na ciência um fato não é falso e nem verdadeiro: ele é simplesmente o que é. Não tem sentido, por exemplo, alguém dizer que é falso ou verdadeiro o fato de que *a água do mar é salgada*. O que, no entanto, pode estar certo ou errado é o *conhecimento* ou a *interpretação* que alguém tem de um fato, p. ex., supondo que a água do mar era doce quando, realmente, é salgada.

O homem pode produzir *fatos* e isto acontece inúmeras vezes na rotina de cada dia como, por exemplo, cumprimentar alguém, vestir-se, alimentar-se, etc. O homem muitas vezes cria *fatos* com a única finalidade de estudá-los, como acontece, por exemplo, nas situações experimentais de laboratório. Entretanto uma grande parte dos esforços, realizados pela ciência, destina-se ao conhecimento de *fatos* que já existem, produzidos pela natureza, e que o homem ainda desconhece ou, pelo menos, não sabe todo o alcance de suas implicações. Neste caso, a pesquisa é utilizada para fazer "descobertas". Revelações como estas foram manifestadas, por exemplo, quando se deu a conhecer que a *terra é redonda, que gira em torno do sol*, que há *organismos microscópicos causadores de fermentação e de doenças infecciosas, etc.*

Kohan lembra que "o objetivo principal de uma ciência, mais do que a mera descrição de fenômenos empíricos, é estabelecer, mediante leis e teorias, os princípios gerais com que se pode explicar e prognosticar os fenômenos empíricos"[1].

A preocupação da ciência gira em torno de *fenômenos empíricos*. Para alguns o termo "fenômeno" indica apenas um sinônimo para "fato". Entretanto, pode-se estabelecer uma distinção, dizendo-se que "fenômeno" é *o fato, tal como é percebido por alguém*. Os *fatos* acontecem na realidade, independentemente de haver ou não quem os conheça. Mas, quando existe um observador, a percepção que este tem do fato é que se chama *fenômeno*. Pessoas diversas podem observar, no mesmo fato, fenômenos diferentes. Assim, por exemplo, *um jovem viciado em drogas* pode ser visto por um *médico* como um *fenômeno fisiológico*, por um *psicólogo* como *fenômeno psicológico*, por um *jurista* como *fenômeno jurídico*, etc.

---

1. Nuria Cortado de Kohan, *Manual para la construcción*... p. 13.

Pode-se falar em "fenômenos ocultos" ou "sobrenaturais", mas estes não interessam à ciência, pois não fazem parte da realidade empírica. Os que interessam cabem numa faixa muito ampla e são, por exemplo, os *fenômenos físicos* (como o frio, o calor, etc.), os *fisiológicos* (como a secreção glandular, a contração muscular, etc.), os *sociais* (como interação, migração, etc.), os *psíquicos* (como percepção, emoção, etc.) e qualquer outro suscetível de ser observado, quer direta ou indiretamente.

Pode alguém dedicar-se à pesquisa científica apenas para verificar a *presença* ou *ausência* de um determinado fenômeno ou então com o intuito de compreendê-lo melhor a fim de *descrever* adequadamente suas características, natureza, etc. Assim, por exemplo, um cientista social pode estar interessado em estudar o casamento entre esquimós para dizer em que consiste e como se faz, para identificá-lo ou não com um determinado modelo. O trabalho científico, no entanto, assume geralmente uma outra dimensão. Ogburn e Nimkoff lembram que "uma grande percentagem (destes trabalhos) é mais do que uma simples descrição de fenômenos. Grande parte se refere à relação entre dois ou mais fenômenos, como, por exemplo, as relações entre condições econômicas e índices de casamento". E dizem, ainda: "um problema corrente sob este aspecto é determinar a causa do fenômeno"[2].

Quer procurando descrever o fenômeno ou, então, tentando explicar a relação que existe entre eles, a ciência não está preocupada com casos individuais mas sim com *generalizações*. Dedica-se aos casos particulares, no intuito de compreender o conjunto de indivíduos que participam da peculiaridade do caso estudado. Este modo de proceder é denominado, pela *lógica*, de "indução". Consiste numa

---

2. William F. Ogburn e Meyer F. Nimkoff, *Sociologia*, p. 19.

operação mental em que, a partir de fatos observados na realidade empírica, chega-se a uma proposição geral que se denomina "lei", que é uma condensação de conhecimento, determinando como os fatos acontecem e são regidos. Mas, neste processo de elaboração, a ciência precisa também utilizar, além do procedimento indutivo, outro modo de operar lógico, que se denomina "dedução". Esta é uma forma de raciocínio em que se parte dos princípios para consequências logicamente necessárias, ou seja, do geral para o menos geral ou particular. É *dedutivo*, por exemplo, o raciocínio que se faz assim: todos os alunos desta classe são estudiosos, João é aluno desta classe. Logo ele é estudioso. E é *indutivo* o que se faz desta maneira: Pedro é estudioso e é aluno desta classe, Antônio é estudioso e é aluno desta classe, Joaquim é estudioso e é aluno desta classe, José... Logo todos os alunos desta classe são estudiosos.

Através das leis que procura estabelecer, a ciência pretende construir, de forma dinâmica, um *modelo inteligível* e, ao mesmo tempo, o mais *simples, preciso, completo* e *verificável* do mundo em que vivemos. Este modelo deve ser também *eficaz* no sentido que ajude a fazer previsões e a utilizar meios apropriados para controlar os fenômenos. E, para estabelecer as leis, a ciência formula *hipóteses*, que são suposições para orientar o pesquisador na busca e na descoberta dos fatos e das relações que existem entre eles. Se a formulação da hipótese preencher determinadas condições e se for verificada, transformar-se-á então em *lei*. Diz Bunge que "uma hipótese científica é uma formulação de lei se e somente quando: a) é *geral* sob algum aspecto e com algum alcance; b) se foi *confirmada* empiricamente de modo satisfatório em alguma área; c) pertence a algum *sistema científico*"[3].

---

3. Mario Bunge, *La investigación científica*, p. 393.

Um conhecimento mais amplo a respeito de fatos ou de relação entre fatos já não é mais lei mas é uma *teoria*. Este termo – teoria – é frequentemente utilizado na linguagem vulgar para se opor ao que é "prático" e possui, portanto, conotações especulativas. Na ciência não é assim. Ele se refere a um modo de organizar os fatos, explicando-os, estabelecendo relações e dando oportunidade de serem utilizados para previsão e prognóstico da realidade. Dizem Selltiz e outros que, de modo geral, "a intenção de uma teoria na ciência contemporânea é sumariar o conhecimento existente, apresentar a partir de princípios explicativos contidos na teoria, explicação para relações e acontecimentos observados (fatos) bem como predizer a ocorrência de relações e acontecimentos ainda não observados"[4].

Na citação acima de Ogburn e Nimkoff foi dito que um dos mais importantes interesses da ciência é determinar a *causa* dos fenômenos. Convém explicar o que este termo significa na ciência. Geralmente, no sentido vulgar, a *causa* se refere a um só fator, que supõe-se ter "força" suficiente para produzir determinado efeito. Assim, por exemplo, diante de um jovem neurótico, alguém perguntava: "a causa disto não é o fato de ele ter perdido a mãe, quando ainda era muito pequeno?"

Na ciência não se espera que uma causa, sozinha, seja suficiente para produzir fenômenos. Mas é necessário haver uma *conjunção de causas* que, influenciando-se mutuamente, criem uma *situação* onde o fenômeno é capaz de manifestar-se. Assim, um dos trabalhos muito importantes, em plano de pesquisa, é definir os fatores que estão presentes e influenciam a situação. Para que o assunto seja melhor compreendido, vamos aproveitar um

---

4. Selltiz, Jahoda, Deutsch, Cook, *Métodos de Pesquisa*, p. 540.

exemplo dado por Selltiz e outros a respeito de um fenômeno – vício com entorpecentes – a fim de considerarmos as causas que criaram a situação[5].

Uma *causa é necessária* quando, sem ela, o fenômeno não pode ser reproduzido; p. ex.: experimentar o entorpecente é causa necessária para o vício, pois sem experimentá-lo o indivíduo não pode ficar viciado. A *causa suficiente* é aquela que, colocada, produz inevitavelmente o fenômeno, p. ex.: o vício prolongado em entorpecentes produz distúrbios psicológicos. Uma causa pode ser necessária sem ser suficiente. Assim, p. ex., experimentar entorpecente não leva o indivíduo necessariamente ao vício, pois há pessoas que o experimentaram, sem ficarem viciadas.

Outros tipos de causas são *contribuintes, contingentes* e *alternativas*. As primeiras são as que aumentam a probabilidade (contribuem) do aparecimento do fenômeno, sem garantir que inevitavelmente surgirá. Estudos feitos com famílias de viciados constataram que a ausência da figura paterna no lar, durante a infância, é *causa contribuinte* para o aparecimento posterior do vício no filho. As condições favoráveis, criadas para que a causa contribuinte possa atuar, constituem a *causa contingente* do fenômeno. Assim, constatou-se que o vício em entorpecentes, dos jovens que tiveram ausência paterna no lar, só acontece quando, nos bairros em que eles moram ou frequentam há disseminação de entorpecentes e não acontece quando o uso não está difundido. As *causas alternativas* são as diversas modalidades de causas contribuintes que tornam provável o fenômeno. Assim, se a causa contribuinte é a ausência da figura paterna no lar, as causas alternativas que apareceram no estudo feito sobre o vício de entorpecentes foram: a) jovens que cresceram sem pais; b) filhos

5. *Id., ibid.*, p. 93 a 97.

que tinham pais, mas que foram tratados por estes com hostilidade.

O modo próprio que a ciência tem para obter conhecimento da realidade empírica é a *pesquisa*. E, entre as diversas formas de fazê-la, as que vão nos interessar neste estudo são a *descritiva* e a *experimental*. A primeira tem por objetivo obter informação *do que existe*, a fim de poder *descrever* e *interpretar* a realidade. A segunda, a experimental, está interessada, não tanto em descrever os fenômenos tais como já existem na realidade, mas em *criar condições para interferir* no aparecimento ou na modificação de fatos a fim de *poder explicar* o que ocorre quando dois ou mais fenômenos são relacionados. A pesquisa experimental inclui os objetivos da pesquisa descritiva indo, no entanto, mais além.

3. Características do método de pesquisa científica

Van Dalen e Meyer lembram que "o trabalho de pesquisa não é de natureza mecânica, mas requer imaginação criadora e iniciativa individual". E acrescentam: "entretanto, a pesquisa não é uma atividade feita ao acaso, porque todo o trabalho criativo pede o emprego de procedimentos e disciplinas determinadas"[6].

Talvez uma das maiores dificuldades, de quem se inicia na pesquisa científica, seja a de imaginar que basta um roteiro minucioso, detalhado, para seguir e logo a pesquisa estará realizada. Na verdade, o roteiro existe: são as diversas fases do método. Entretanto, uma pesquisa devidamente planejada, realizada e concluída, não é um simples resultado automático de normas cumpridas ou roteiro seguido. Mas deve ser considerada como *obra de criatividade*, que nasce da intuição do pesquisador e recebe a mar-

6. Deobold Vandalen e William J. Mayer, *Manual de Técnica...* p. 143.

ca de sua originalidade, tanto no modo de empreendê-la como no de comunicá-la. As fases do método podem ser vistas como indicadoras de um caminho, dando, porém, a cada um a oportunidade de manifestar sua iniciativa e seu modo próprio de expressar-se.

Fazer uma pesquisa científica não é fácil. Além da iniciativa e originalidade de que já falamos, exige do pesquisador persistência, dedicação ao trabalho, esforço contínuo e paciente, qualidades que tomam sua feição específica e são reconhecidas por cada um em si mesmo, quando alguém vivencia a sua própria experiência de pesquisador. E, no entanto, é uma das atividades mais enriquecedoras para o ser humano e, de modo geral, para a ciência.

Embora enfatizando o valor da criatividade, convém lembrar que a pesquisa científica não pode ser fruto apenas da espontaneidade e intuição do indivíduo, mas exige submissão tanto aos procedimentos do método como aos recursos da técnica. O método é o caminho a ser percorrido, demarcado, do começo ao fim, por *fases* ou *etapas*. E como a pesquisa tem por objetivo um problema a ser resolvido, o método serve de guia para o estudo sistemático do enunciado, compreensão e busca de solução do referido problema. Examinado mais atentamente, o método da pesquisa científica não é outra coisa do que a elaboração, consciente e organizada, dos diversos procedimentos que nos orientam para realizar o ato *reflexivo*, isto é, a operação discursiva de nossa mente.

Whitney nos recorda que costumamos utilizar o processo reflexivo quando nos encontramos diante de uma situação, que consideramos problema e sentimos a exigência de resolvê-lo. Em atos mais simples, como o de amarrarmos os cordões do sapato, barbearmo-nos, procedermos diante de amigos, estranhos ou inimigos, o nosso procedimento é espontâneo e reagimos sem reflexão ou quase sem reflexão. Estes mesmos atos, hoje tão fáceis e familiares, foram considerados por nós, em outros tempos, como problemas mais ou menos complexos, que tivemos de resolver.

O mesmo autor faz referência a Kelly para dizer que *um ato completo do pensamento reflexivo* compõe-se das seguintes fases: a) *uma dificuldade é sentida*; b) *procura-se então compreender e definir esta dificuldade;* c) *dá-se para a mesma uma solução provisória*; d) *elabora-se mentalmente uma solução* (elaborando-se, também, se for necessário, *soluções provisórias complementares*) *da qual se tem*; e) *a convicção de ser a solução correta*; f) *comprova-se experimentalmente a mesma*; g) *procura-se avaliar adequadamente os dados experimentais, que conduzem à aceitação da solução mental e a uma decisão sobre a conduta imediata ou ao abandono e à retificação da necessidade sentida, donde nasceu a dificuldade. O processo se repete até que se obtenha uma solução comprovada, imediatamente utilizável*; h) *procura-se ter uma visão de futuro, ou seja, a formação de um quadro mental de situações futuras para as quais* a situação atual é pertinente[7].

As *fases do método de pesquisa* são semelhantes às que acabamos de indicar, compreendendo: A) *formulação do problema da pesquisa* (correspondente aos itens *a* e *b*); B) *enunciado de hipóteses* (correspondente aos itens *c*, *d* e *e*); C) *coleta dos dados* (correspondente ao item *f*); D) *análise e interpretação dos dados* (correspondente aos itens *g* e *h*). Embora sejam estas as fases do método, não se apresentam sempre necessariamente em número de quatro. Alguns autores preferem desdobrar, p. ex., uma em duas ou, então, sintetizar duas em uma. Assim, a primeira fase pode aparecer desdobrada em duas: *enunciado do problema* e *definição dos termos do problema*. Ou, então, a terceira e quarta podem surgir sintetizadas numa só: *coleta e interpretação de dados.*

---

7. Frederick Lamson Whitney, *Elementos de investigación*, p. 2 a 13.

A primeira fase do método é a *formulação de um problema*. Algum principiante, ansioso por "começar logo a pesquisa", pode supor que o melhor é pensar imediatamente na elaboração de questionário. Não há dúvida que é muito comum encontrar pessoas que confundem pesquisa com mera aplicação de questionário. Este procedimento, porém, pertence à *coleta de dados* que, na ordem por nós colocada, encontra-se na terceira fase. Na verdade, não se pode fazer pesquisa sem ter um problema, devidamente enunciado, para resolver. Diz Dewey que "não formular o problema é andar às cegas, no escuro. A maneira pela qual concebemos o problema é que nos leva a decidir quais as sugestões específicas a considerar ou desprezar; quais os elementos que devem ser selecionados ou rejeitados e qual o critério para a conveniência e importância ou não da hipótese e da estruturação dos conceitos"[8].

Formulado o problema, o método pede que o pesquisador *enuncie as hipóteses*, que são tentativas de soluções, para posterior *aceitação* ou *rejeição*. A função da hipótese é afirmar que, numa determinada situação, um fenômeno se encontra presente ou ausente, que possui tais características ou natureza, que existe (ou não existe) tal relação específica entre fenômenos, etc., devendo, a afirmação, ser verificada na realidade empírica. *Verificar* é confrontar a afirmação da hipótese com informações obtidas na realidade empírica. Se existe concordância, a hipótese foi *comprovada* e *pode ser aceita*. Caso contrário, a hipótese foi *rejeitada*. Para obter as informações, o pesquisador *observa* a realidade. Como resultado da observação, o pesquisador *registra* determinadas informações, que são os *dados obtidos*. E, ao processo de alcançá-los, denomina-se "*coleta de dados*".

---

8. John Dewey, *Inteligência e investigação...*, p. 245.

Mas o simples fato de obter dados não resolve o problema da pesquisa. Para isto, torna-se necessário dar aos mesmos uma forma de organização, que possibilite serem examinados e avaliados, transformando-se, assim, em material útil à verificação das hipóteses. Ao conjunto destes procedimentos denomina-se "análise de dados". Teremos, em seguida, a "interpretação de dados", que consiste em dizer a verdadeira significação que os dados obtidos possuem para os propósitos da pesquisa, generalizando-se, depois, os resultados, no âmbito que a pesquisa permite e a lógica consente.

Costuma-se terminar o relatório da pesquisa com uma "*conclusão*". Embora o assunto fuja ao âmbito deste trabalho, que visa apenas dar as noções básicas para a elaboração de um projeto, convém, no entanto, de passagem, lembrar algumas indicações. Castro diz que "na conclusão deve-se retomar a visão ampla apresentada na introdução e tentar avaliar o impacto da pesquisa sobre aquela perspectiva... buscando destilar as contribuições mais importantes da pesquisa, bem como avaliar-lhes os pontos fracos e controvertidos... Em termos formais, a conclusão apresenta um sumário comentado dos principais resultados, realçando sua contribuição à disciplina... Uma pesquisa sobre novas perspectivas sugere áreas em que nosso conhecimento é precário e abala convicções antigas; tais implicações devem ser exploradas no capítulo das conclusões"[9].

Em cada uma das fases do método, o pesquisador deve usar certos recursos, que são apresentados na forma de procedimentos técnicos, como o de selecionar a amostra, construir e aplicar instrumentos de pesquisa, etc. e que serão vistos por nós em lugar oportuno, mais adiante. Para análise e interpretação dos dados recorre-se a técnicos de

---

9. Cláudio de Moura Castro, *Estruturação e apresentação*, p. 11 e 12.

estatística. Além disto, durante todo o processo da pesquisa devem ser usadas, pelo menos implicitamente, técnicas de raciocínio lógico.

Antes de concluir este capítulo convém lembrar que o método, acima descrito, não é apenas um conjunto de procedimentos formais ou um complexo de normas cuja finalidade é ser usado unicamente na pesquisa. Já foi dito que ele constitui a orientação básica do pensamento reflexivo. Além disto (ou por causa disto) é considerado também eficaz para o aumento de saber, no indivíduo que o utiliza, e meio adequado para ampliar o conhecimento, na área da ciência.

Popper diz que "o problema central da epistemologia sempre foi e continua a ser o problema do aumento do saber". E o método eficiente para alcançá-lo consiste "em enunciar claramente um problema e examinar criticamente as várias soluções propostas. Importa realçar: sempre que propomos uma solução para um problema devemos tentar, tão intensamente quanto possível, pôr abaixo a mesma solução, ao invés de defendê-la. Infelizmente poucos de nós observamos este preceito, felizmente outros farão as críticas que nós deixarmos de fazer. A crítica, porém, só será frutífera se enunciarmos o problema tão precisamente quanto nos seja possível, colocando a solução por nós proposta em forma suficientemente definida – forma suscetível de ser criticamente examinada"[10].

Em conclusão, podemos utilizar o *método* como condição necessária para realizarmos uma pesquisa. Ou, fora desta, podemos também usá-lo quando quisermos adquirir algum conhecimento pessoal. Num e noutro caso, a sua eficácia depende de nosso estado de espírito: uma atitude de desapego, para que a crítica, própria e de outros, possa lapidar o nosso pensamento até encontrar a verdade.

---

10. Karl Popper, *A lógica da pesquisa*, p. 536.

CAPÍTULO II

Comunicação e conhecimento científico

1. Noções preliminares

Nos livros de metodologia da pesquisa, o título deste capítulo pode servir para tratar de assuntos como, por exemplo, da forma que deve ter um relatório de pesquisa. Mas a perspectiva que vamos ter para abordá-lo é outra: focalizaremos o aspecto do *uso e da definição dos termos* que, na verdade, é tão útil e importante para a elaboração de projetos, como é para a execução da própria pesquisa, e tão imprescindível para o indivíduo produzir os seus próprios pensamentos, como para comunicar os resultados a que tiver chegado.

Começaremos lembrando que toda experiência, externa ou interna, deixa em nós um *sinal* do que aconteceu, denominado *ideia* ou *conceito*. Estes dois termos, sinônimos, indicam a forma mais simples do pensamento e pela qual *conhecemos* as coisas e estas ficam *representadas* em nossa mente. Para melhor compreensão, vejamos um exemplo. Quando conheço uma pessoa, posso "guardar" a *imagem* de sua fisionomia, tornando-se esta imagem a pessoa representada dentro de mim. Pois bem, quando eu falo em "conceito", que tenho da pessoa, não é a esta imagem que estou me referindo. De fato, a imagem pode oferecer-me a "representação" da pessoa sob diversos aspectos. Assim, por exemplo, fechando os olhos, posso recordar sua fisionomia (imagem visual), sua voz (imagem auditiva), etc. O *conceito* é menos sensível do que a imagem, digamos que é *imaterial*. Aparece como resultado de um trabalho da nossa mente, procurando *apreender o que a pessoa é*, enquanto que a imagem indica apenas como tal pessoa se *manifesta*. O *conceito* é uma atividade mental que produz um conhecimento, tornando *inteligível* não apenas *esta* pessoa ou *esta* coisa, mas *todas* as pessoas e coisas da mesma espécie. Além de ser a *representação* da coisa em alguém, o *conceito* é o meio que o indivíduo tem para *reconhecer* esta coisa (ou outra qualquer da mesma espécie), *compreendendo-a*, tornando-a inteligível para si.

O *conceito* é diferente do *juízo*. Quando, por exemplo, alguém diz o que entende por *aluno* e por *bom*, está emitindo conceitos. Mas quando afirma: "o aluno é bom", está formulando um juízo (mais apropriadamente está apresentando uma *proposição*, que é a manifestação visível do juízo, formulado em sua mente). O juízo, portanto, é uma relação entre conceitos.

Os conceitos, que alguém atualmente possui, não apareceram de repente, de uma só vez, mas foram formados progressivamente e o processo de sua formação continua. Assim, por exemplo, a ideia que tínhamos de *alunos* quando éramos crianças foi gradualmente se modificando e hoje já é bem diferente. No começo era muito simples e elementar. Mas a nossa própria experiência como alunos e a que tivemos com os outros nos deram novos elementos, fizeram-nos perder outros e transformar alguns, purificando, ampliando e enriquecendo o conceito anterior. Para isto, além das experiências, foi necessário também que utilizássemos a nossa capacidade de reflexão, comparando e relacionando os novos elementos, que iam sendo adquiridos, com os antigos, que já possuíamos. Um dos pontos mais fundamentais para o desenvolvimento intelectual do ser humano consiste no alargamento, aperfeiçoamento e aprofundamento dos conceitos, dando ao indivíduo uma visão, cada vez mais precisa e adequada, de si e do mundo em que vive. Sob este aspecto, compreende-se, então, que, para alguém *definir o conceito* de alguma coisa, não é apenas *repetir palavras* talvez já decoradas, mas é *manifestar o que sabe* sobre esta coisa e que foi aprendido, sobretudo através das experiências. Sob este aspecto, a finalidade do nosso curso é ajudar o aluno a ter um conceito cada vez mais adequado de um projeto de pesquisa.

2. O uso dos termos

O homem, porque é capaz de conceituar, pode utilizar a linguagem falada ou escrita para se comunicar com os outros homens. Pela linguagem, o homem pode transmitir os seus conceitos através de *sons* e *traços* (palavras) convencionais e pode, por meios idênticos, saber o que os outros pensam ou sentem a respeito das pessoas, coisas, acontecimentos, etc.

Se perguntarmos qual o conceito que alguém possui de *aluno*, poderemos receber, por exemplo, as seguintes respostas: a) "é aquele que aprende"; b) "é o indivíduo do sexo masculino ou feminino, matriculado em estabelecimento de ensino, com o objetivo de realizar uma aprendizagem". Temos, então, duas formas (e poderiam ter sido apresentadas muitas outras) de se enunciar o conceito de *aluno*. Assim, o mesmo conceito pode ser apresentado de maneiras diferentes.

Os *elementos* que alguém distingue num conceito e utiliza para explicá-lo denominam-se "notas" ou "características" do conceito. Assim, no exemplo acima, o conceito de aluno possui as seguintes características no item b: *indivíduo – sexo masculino e feminino – matriculado – estabelecimento de ensino – aprendizagem como objetivo a realizar*. É pela apresentação de suas características que chegamos a compreender um conceito. Desta forma, denomina-se "compreensão de um conceito" à apresentação das características que o constituem. Geralmente, quanto mais características forem apresentadas, melhor será a compreensão que se terá do conceito. Chama-se de "extensão de um conceito" a aplicação que se pode fazer dele aos indivíduos, coisas, acontecimentos, etc. Quanto maior a compreensão menor a extensão e vice-versa. Quando se diz, por exemplo, que *professor* é todo *aquele que ensina* deu-se ao conceito uma *extensão* muito ampla e, em consequência, uma *compreensão* muito pequena (apenas uma característica: que *ensina*). Quando se diz que *professor é portador de um diploma de curso superior, devidamente aprovado por um departamento universitário, com a finalidade de ministrar aulas de uma determinada disciplina e orientar os alunos em atividades discentes* deu-se ao conceito uma *compreensão* grande mas diminuiu-se muito a *extensão* (comparando-se, no primeiro caso – *professor é o que ensina* –, o conceito se aplicava a *muita gente* e, agora, *restringiu-se muito* esta aplicação).

Na ciência não basta apenas o indivíduo *saber*, mas considera-se de grande importância que o seu conhecimento seja constituído por *conceitos adequados, claros* e *distintos*. Um conceito é *adequado* quando nele se encontram todas as características próprias, que o compõem. Caso contrário é *inadequado*. Assim, por exemplo, conceituar *bom aluno* como o que "tira boas notas" é inadequado, pois faltam outros elementos como "dedicação aos estudos", "participação em atividades discentes", "responsabilidade em sua própria formação profissional", etc. Um conceito é *claro* quando, por ele, entre diversas outras coisas, pode-se reconhecer a coisa a que ele se refere. Caso contrário, é *obscuro*. No exemplo dado acima, de que *bom aluno* é aquele que "tira boas notas", esta característica leva a confundir, pelo menos em certos casos, *bom aluno* com *aluno que cola, aluno de sorte*, etc. Um conceito é *distinto* quando, levando-se em consideração as suas próprias características, é capaz de distinguir umas das outras. Caso contrário, é *confuso*. Assim (aproveitando a própria definição de *conceito* para darmos o exemplo), se dissermos que *conceito* é a *representação mental dos elementos que compõem a coisa* estamos dando, sobre o mesmo, uma ideia confusa. Para torná-la *distinta*, precisamos explicar melhor: que o *conceito representa somente aqueles elementos que são absolutamente essenciais à coisa e, portanto, comuns a todas as coisas da mesma espécie, deixando fora os elementos que são apenas particularizadores e individualizadores de uma coisa*.

A condição para nos comunicarmos bem com os outros é apresentarmos convenientemente os conceitos e utilizarmo-nos apropriadamente das *palavras* ou *termos*. Estes, como sabemos, são constituídos por um conjunto de sinais visíveis que podem tomar a forma de *sons* (palavras ou termos orais) ou de *traços* (palavras ou termos escritos). A palavra é empregada com a finalidade de transmitirmos aos outros o que se passa dentro de nós: nossos *pensamentos* e *sentimentos*. Para que o processo de comunicação seja *eficaz* é necessário que as palavras sirvam realmente para ajudar o outro a representar na mente o que estamos representando na nossa e que desejamos transmitir. Assim, por exemplo, penso num determinado instrumento que marca o tempo. Utilizando uma série de traços, escrevo a palavra "relógio". Neste caso, o meu desejo é que a pessoa, lendo o que escrevi, represente também na sua mente o mesmo instrumento que pensei.

A ciência não está interessada nas palavras em si. E nem as utiliza apenas para embelezar as frases ou para lhes dar toques emocionais. A ciência rejeita, como espúria, qualquer forma de psitacismo, isto é, da utilização de palavras sem ideias correspondentes. Mas, pelo contrário, como as palavras devem servir sempre de meios para *revelar um pensamento* e/ou *para mostrar algo na realidade*, a atenção da ciência se localiza, de modo especial, no *significado* e no *referente* que a palavra pretende indicar. Sabe-se hoje que a relação estabelecida entre a palavra e a coisa que ela designa é meramente convencional. Os povos primitivos imaginavam que a palavra fazia parte da própria natureza da coisa, como se fosse, digamos, um "pedaço" dela. Na magia, supunha-se que alguém pudesse ser prejudicado pelo simples fato de se utilizar a palavra, que indicava seu nome, para se fazer nela, ou com ela, a "maldade" que se desejava para o indivíduo. Mas isto pertence a uma época pré-científica. A ciência não tem o culto da palavra e utiliza-a somente como instrumento eficaz para a elaboração do pensamento e para a comunicação. Assim, dentro de certos limites, o cientista pode inventar uma palavra ou modificar outra para indicar mais adequadamente o conceito que ele pensa e deseja manifestar.

O mesmo conceito pode, às vezes, ser indicado com palavras diferentes, p. ex.: *perito, experimentado, prático, sabedor,* etc., designa "alguém que possui conhecimento e exercício para a execução de determinada habilidade". Mas, por outro lado, acontece que conceitos diferentes podem ser indicados com a mesma palavra. Assim, por exemplo, o termo *pé* pode se referir a uma parte de uma pessoa, de uma mesa, de uma árvore, ao vento, à altura da parede, etc. Para evitar qualquer ambiguidade, procura-se, na ciência, fazer a comunicação na base dos significados e dos referentes e não apenas da própria palavra. Por isso, a compreensão deve ser procurada nas *definições*, sendo-o mais importante do que perguntar: "o que foi que ele disse?" e saber: "o que foi que ele desejou significar com o que disse?"

Embora a utilização de palavras seja fundamental, devemos estar sempre prevenidos para as confusões que ela possa ocasionar. Weatherall diz que, para evitá-las, duas providências devem ser tomadas: a) *estar ciente da possibilidade de que a mesma palavra seja usada para indi-*

car referentes diversos ou de que uma palavra seja empregada sem qualquer referente; b) *estabelecer exatamente qual o referente de determinada palavra, em dado contexto, e manter constante a conexão entre o referente e a palavra*"[11].

Para ajudar a estabelecer o referente de determinadas palavras talvez ajude a distinção que se coloca entre *significado extensional* e *intensional*. O mundo *extensional* é aquele que podemos conhecer através de nossa própria experiência. O *significado extensional* é aquilo que ele aponta no mundo extensional. Assim, por exemplo, quando alguém diz "cadeira", o significado desta palavra é algo existente na realidade e que pode ser conhecido pela experiência. Diz Hayakawa que "um modo fácil de nos lembrarmos disto, consiste em taparmos a boca e apontar o objeto com o dedo, sempre que alguém nos pedir um significado extensional"[12]. Um termo qualquer que possa "apontar" um objeto no mundo extensional é chamado "denotativo". Por exemplo, *cadeira* é um termo denotativo. O *significado intensional* é aquele que, pronunciada a palavra, é sugerido na forma de diversas ideias que surgem na mente de cada um. O termo que sugere estas ideias se chama "conotativo". Assim, por exemplo, nesta frase: *durante o sono apareceu-lhe um anjo*, a palavra *sono* é denotativa porque podemos apontar uma pessoa dormindo. Mas *anjo* não possui significado extensional: não pode ser visto, não pode ser tocado, sua presença não pode ser detectada por nenhum instrumento científico. Para explicar o que significa, cada um tem que fazer apelo à sua própria ideia, que tem de anjo. Pode ser até que nem existam anjos e, neste caso, uma palavra está sendo usada sem referente algum.

---

11. M. Weatherall, *Método científico*, p. 26.

12. S.I. Hayakawa, *A linguagem no pensamento*, p. 47, 48.

Estudamos, mais acima, a *compreensão* e a *extensão* do conceito. Agora, podemos dizer que os termos *denotativos* têm referência com a *extensão* e os *conotativos* dizem respeito à *compreensão*. Mas o mesmo termo pode ser apresentado com significado extensional, quando o possui (p. ex.: a cadeira, explicada tal como existe na realidade), e com o intensional (p. ex.: a cadeira explicada de acordo com um ponto de vista pessoal, isto é, o modo próprio pelo qual alguém "vê" uma cadeira, podendo não coincidir com o que existe na realidade). No primeiro caso, o termo foi tomado no seu sentido peculiar, denotativo e, no segundo, assume um sentido conotativo.

A pesquisa científica tem como referentes os *fenômenos* que podemos apontar, ver, tocar ou cuja presença pode ser captada através de dispositivos científicos. Na medida do possível devemos usar *termos denotativos* para os fenômenos com que estamos trabalhando em nossa pesquisa, dando-lhe o *significado que possui no mundo extensional*. Mas, como toda pesquisa tem seu ponto de referência num quadro conceitual, comumente traduzido na forma de uma teoria determinada, as *conotações* que dermos aos termos devem servir, apenas, para inseri-los adequadamente nesse quadro conceitual a que pertencem.

3. A definição de termos

Os termos se tornam mais claros e compreensivos ao serem definidos. *Definir* é fazer conhecer o conceito que temos a respeito de alguma coisa, é *dizer o que a coisa é*, sob o ponto de vista da nossa compreensão. Evidentemente, para que a nossa definição seja *certa e verdadeira* é condição imprescindível que o *nosso* conceito da coisa esteja de acordo com *o que ela realmente é*. Assim, tanto mais estaremos aptos a fazer definições corretas, quanto melhor conhecermos e compreendermos o que desejamos definir. Uma das exigências muito importantes para realizarmos uma pesquisa é *estudarmos* com profundidade e *experienciarmos* o tema, a fim de que as nossas definições sejam sempre corretas.

Quando definimos, dizemos o que a coisa é, separando-a *do que não é*. Podemos definir *assíduo à Igreja* como *assistir aos cultos com determinada regularidade*. Assim, estamos dizendo *o que a coisa é*. Não entra nessa definição nada que se relacione com a presença ou ausência de bondade para com os filhos, a felicidade conjugal, a honestidade ou desonestidade de práticas comerciais, etc. (o que a coisa não é). Entretanto, diz Hayakawa: ao afirmar-se que alguém é *assíduo à Igreja*, logo se vincula ao indivíduo uma série de conotações, que não lhe pertencem, como ser bom cristão; bom cristão sugere fidelidade à mulher e ao lar, bondade para com os filhos, honestidade nos negócios, etc[13]. Ora, separando *o que a coisa é* do que *a coisa não é* (isto é, deixando fora as conotações que não lhe pertencem), podemos *identificar* no mundo extensional, sem enganos, os indivíduos aos quais devemos aplicar o conceito. Assim, por exemplo, se definimos *assíduo à Igreja* como *assistir aos cultos com determinada regularidade* sabemos que o conceito convém a Pedro, José, Emengarda e Pacômio, embora Pedro tenha severidade excessiva com os filhos, José seja desonesto nos seus negócios, Emengarda cometa adultério e Pacômio seja alcoólatra. Entretanto, nenhuma destas conotações pertencem ao conceito. De fato, *severo com os filhos, desonesto nos negócios, cometer adultério* e *ser alcoólatra* são conotações que não pertencem ao conceito de *assíduo à Igreja*. A definição de um conceito serve, portanto, para tornar claras e reconhecíveis suas características, separando-as de conotações que não lhe pertencem.

---

13. S.I. Hayakawa, *op. cit.*, p. 212.

Pascal enunciou três regras para uma boa definição: "a) *não deixar qualquer ideia obscura sem definir*; b) *empregar na definição apenas termos suficientemente claros por si mesmos ou já definidos* (não incluir, portanto, na definição, a palavra que se quer definir, isto é, 'não explicar a palavra pela própria palavra' e nunca definir o termo pelo seu contrário); c) *nunca pretender tudo definir,* porque a definição é essencialmente uma análise, devendo necessariamente deter-se nos elementos simples, suficientemente claros por si"[14].

Aproveitando o exemplo dado acima, de *assíduo à Igreja*, vejamos como se aplicam estas regras. Esta expressão – assíduo à Igreja – não pode ser definida: a) por *aquele que vai à Igreja com assiduidade,* porque seria explicar a palavra pela própria palavra (assíduo = assiduidade); b) por: *aquele que nunca falta à Igreja*, pois seria explicar a palavra pelo seu contrário (assíduo à Igreja = nunca faltar à Igreja); c) e nem mesmo, como já foi definida, por: *assistir ao culto com determinada regularidade.* Reparando com atenção veremos que *determinada regularidade* é um termo obscuro, pois não permite identificar ao que se refere, no mundo extensional. Melhor seria então dizer que significa *todos os domingos e dias santos*. Neste caso, a definição completa de *assíduo à Igreja* será *assistir aos cultos todos os domingos e dias santos.*

Carosi também apresenta o que denomina de "leis da definição" e que são as seguintes: a) a *definição deve ser conversível ao definido,* isto é, deve valer para todos os sujeitos que se incluem no âmbito da coisa definida e só para estes sujeitos; b) *a definição deve ser clara,* ao menos deve ser mais clara do que o objeto definido; c) *a definição deve*

---

14. Apud V. de Magalhães Vilhena, *Pequeno Manual de Filosofia*, p. 286.

ser breve, do contrário, em vez de ser definição, teremos uma exposição ou um tratado[15].

Uma das partes mais significativas da pesquisa consiste na *definição dos termos*, especialmente, no que se refere à *formulação do problema* e ao *enunciado das hipóteses*, por serem o começo e oferecerem a maioria das palavras com as quais vamos lidar durante toda a pesquisa. Evidentemente nem todos os termos precisam ser definidos. Necessitam definição os pouco usados, os que poderiam oferecer ambiguidade de interpretação, ou os que desejamos sejam compreendidos com um significado bem específico, etc. À primeira vista pode parecer fácil selecionar os que devem ser definidos. Entretanto, há muitas dificuldades para se fazer a discriminação. Assim, por exemplo, para o pesquisador que já conhece bem sua área de estudo e vive em contato permanente com o assunto de seu trabalho, todos os termos, ou pelo menos a maioria deles, podem ser considerados como não oferecendo dificuldade para a compreensão. Diz Bachrach: "Se você perguntasse a um psicoterapeuta o que entende por esta palavra, ele poderia dizer: bem, todos sabem o que melhor significa..." E o autor acrescenta: "Dizer que *todos sabem* é repetir a pergunta e evitar o assunto principal da clareza e precisão da definição. Conforme Quine sugeriu, a suposição mútua de compreensão é uma abordagem imatura do método científico"[16].

Não existem regras padronizadas para alguém saber, com certeza, quais os termos que devem ser selecionados para definição. Isto depende do discernimento do pesquisador. Mas alguns pontos podem ser indicados como sugestão, por exemplo, tentar ler o que escrevemos com "os

---

15. Paulo Carosi, *Curso de Filosofia*, vol. I, p. 272.

16. Arthur J. Bachrach, *Introdução à Pesquisa*, p. 55.

olhos dos outros", isto é, como os outros poderiam ler e compreender. É bom também lembrarmo-nos dos esforços que fizemos para chegar a entender certos termos, que hoje nos parecem simples e claros, mas que, antigamente, nos pareciam obscuros e confusos. Precisamos, ainda, levar em consideração a divergência relativa a certas palavras e expressões, cujos significados são discutíveis de acordo com as teorias, áreas de conhecimento, etc. Será de grande valor, além da nossa reflexão pessoal e autocrítica, consultarmos determinadas pessoas, especializadas ou entendidas no assunto e outras que, por algum motivo mais sério, julgamos poderem ser úteis e nos ajudarem.

Bachrach referindo-se à definição, considerada em si mesma, diz que "estamos de tal modo acostumados às definições de dicionário, que temos a tendência de considerá-las claras, inequívocas e reais. Neste ponto eu gostaria de observar que um dos maiores erros do método científico é o de transferirem definições de dicionário para o método científico sem fazerem crítica, já que as definições de dicionário não são elaboradas de modo científico... nunca é demais frisar que um dos maiores erros do método científico é usar definições quotidianas"[17].

Um dos principais objetivos da definição, na pesquisa, é ajudar a *observação da realidade*. Desta maneira, serão melhores as que mais servirem para a *identificação* de coisas, pessoas, acontecimentos e situações, existentes no mundo extensional. As definições de dicionário – não científicas e, geralmente, vulgares e quotidianas – não são suficientemente elaboradas para especificar fenômenos e nem para nos ajudar a discriminá-los pela observação.

---

17. *Ib.*, p. 51 a 53.

Vejamos um exemplo. Nos Estados Unidos foi realizada uma pesquisa para verificar se havia discriminação no modo de se tratar os fregueses pretos dos restaurantes de Nova Iorque.[18] Bravo utiliza o fato para um exercício sobre as definições de "fregueses pretos" e "discriminação"[19].

Se procurarmos o termo *preto* no Novo Dicionário Aurélio, iremos encontrar: "que tem a mais sombria de todas as cores; da cor de ébano; do carvão. – Rigorosamente, no sentido físico, o preto é ausência de cor, como o branco é o conjunto de todas as cores. – Diz-se do indivíduo negro. Diz-se da cor da pele destes indivíduos ou da cor da pele queimada pelo sol, etc." Evidentemente, nenhuma destas definições serve como indicadora para que um observador possa identificar *fregueses pretos* que estejam presentes num restaurante. Em Bravo, *preto* é definido como sendo "toda pessoa que, pela cor da pele e por seus traços físicos, estima-se pertencer à raça negra". O autor não explicita quais os *traços físicos*, pertencentes à *raça negra*, supondo-se naturalmente que o indivíduo, realizando a pesquisa no âmbito das ciências sociais, tenha conhecimento suficiente para saber de que características trata. Podíamos, como exercício, completar a definição e dizer que *fregueses pretos é qualquer pessoa que entra no restaurante e pede uma refeição, caracterizando-se por ter a pele escura, os lábios grossos, nariz chato e cabelo encarapinhado.*

Vejamos agora o outro termo: *discriminação*. O mesmo Dicionário diz que é "desigualdade de trato". Bravo acrescenta que é "qualquer desigualdade no modo de tratar comensais pretos e brancos, a menos que haja razão para crer que a diferença no trato é devida a fatores diferentes da raça". Podemos também completar esta definição, di-

---

18. Selltiz, Jahoda, Deutsch, Cook, *op. cit.*, p. 78.

19. R. Sierra Bravo, *Técnicas de Investigación*, p. 54.

zendo que *discriminação* (no contexto da pesquisa) está em que os *fregueses pretos são tratados pelos garçons e demais pessoal de serviço do restaurante de modo diferente do que são atendidos os outros fregueses, não sendo observada, para a diferença do atendimento, outra razão a não ser a diferença de cor existente entre os fregueses.*

Agora, um outro exemplo muito simples que tivemos em nossa experiência de professor. Um grupo de alunos desejava realizar uma pesquisa, para saber até que ponto o atendimento, dado pelos funcionários de um supermercado (chamemo-lo de supermercado X), estava agradando às mulheres que costumavam ir até lá fazer compras (na pesquisa, *mulheres* aparecia como *consumidores do sexo feminino*).

Sabendo que um dos procedimentos mais importantes numa pesquisa é a *definição dos termos*, os alunos procuraram explicar o que entendiam por *consumidores do sexo feminino*. Mas fizeram-no da seguinte maneira: a) "consumidor" – "aquele que compra para gastar no seu próprio uso"; b) "sexo" – "conformação particular que distingue o macho da fêmea"; c) "feminino"– "o que é próprio da mulher". Evidentemente, esta definição, tirada do dicionário, não servia para que um observador pudesse identificar, no supermercado X, os *consumidores do sexo feminino*. Os alunos talvez tivessem esquecido que *definir*, para uma pesquisa, não é apenas um cumprimento mecânico de um dever escolar, mas um procedimento cujo resultado deve ser funcional. É – digamos numa comparação muito elementar – como alguém que prepara um binóculo, com o objetivo de poder utilizá-lo para enxergar a realidade. Assim, os alunos deviam ter definido a expressão inteira (*consumidores do sexo feminino*) e não cada uma de suas partes. Podiam, então, ter dito, por exemplo, que a expressão significava: *mulheres de qualquer idade ou condição social que vão, pelo menos uma vez por semana, fazer compras no supermercado X*. Notem que *mulheres* não precisa ser definido: é um termo denotativo de fácil observação. *Fazer compras* é o mesmo que: *entrar no supermercado para adquirir qualquer gênero que esteja à venda*. Além disto, acrescentou-se, na definição, *pelo menos uma vez por semana* porque, na pesquisa, se desejava saber se os funcionários do supermercado estavam agradando às mulheres que *costumavam* ir fazer compras. Portanto, a palavra *costumavam* foi definida por: *pelo menos uma vez por semana*.

Por diversas razões, uma definição filosófica é diferente da científica, e uma delas é que a filosófica pretende ser única e definitiva. Assim, por exemplo, na escolástica, se diz que o homem é "um animal racional". Há muito tempo que isto é afirmado como certo e, por isso, não sofre modificação. Na pesquisa é diferente. Como já foi dito anteriormente, o mesmo termo pode ser definido de maneiras muito diversas. Mas, aqui, convém distinguir duas situações. Na primeira, o termo faz parte de uma Teoria Científica. Neste caso, recebe a definição que aí se encontra. Portanto, quando fazemos alusão a uma Teoria não podemos "inventar" definições para os termos que, nela, já se encontram definidos. A outra situação é aquela em que devemos, por iniciativa nossa, elaborar uma definição. Neste caso, embora sendo coerente com as bases teóricas adotadas para a pesquisa, a definição depende dos nossos conhecimentos e da nossa inventividade. E, como vai servir para indicar que observações devem ser feitas, a definição pode variar, de acordo com o contexto a ser observado (mantendo-se, no entanto, para o mesmo contexto, as mesmas definições). Voltando ao exemplo dado acima, por conveniência de observação, foi definido que *consumidores do sexo feminino* são: *mulheres de qualquer idade e condição que vão fazer compras no supermercado X*. Imaginemos, agora, outra situação observacional, a de um fabricante de fumo, que deseja lançar no mercado um produto caro para *consumidores do sexo feminino*. Neste caso, a expressão poderia ser definida, por exemplo: *mu-*

lheres que fumam pelo menos 10 (dez) cigarros por dia e que pertencem à classe média-alta e classe alta.

Convém fazer uma observação a respeito da insistência de que o termo deva ser *denotativo*, "apontando" alguma coisa na realidade empírica. Na verdade acontece que determinados conceitos, usados pela ciência, não são diretamente observáveis. O procedimento mais frequente na ciência é utilizar, então, outros termos que possuem referência empírica e aos quais os termos não observáveis se encontram ligados. Neste caso, a compreensão do termo depende de sua *ligação lógica* com o de referência empírica. Assim, por exemplo, na orientação não diretiva, a expressão *tendência ao desenvolvimento* indica que, na ausência de fatores perturbadores graves, o desenvolvimento psicológico se dirige espontaneamente para a maturidade. Ora, isto não pode ser observado diretamente do ponto de vista psicológico. Entretanto, a afirmação se baseia num *paralelo* estabelecido entre o *desenvolvimento psicológico* e a observação direta que se faz do *desenvolvimento fisiológico* dos organismos.

A fim de assegurar a precisão e referência empírica das definições, evitando que esta se reduza a um simples jogo de palavras, sustenta-se, às vezes, que o melhor modo de definir é descrever as operações que são observadas, medidas ou registradas de um determinado fenômeno. Diz Weatherall: "Diante de qualquer palavra equívoca é conveniente considerar o que alguém faz para representar aquilo a que ela se refere. O que este alguém faz pode ser denominado *operação* e esta forma de agir é frequentemente denominada *definição operacional*"[20]. Assim, para definir operacionalmente a inteligência podemos dizer que ela é o *resultado medido pela execução de tarefas comu-*

---

20. M. Weatherall, *op. cit.*, p. 28.

mente chamadas de `intelectual' como o cálculo aritmético, completar relações verbais, etc.

Não há dúvida nenhuma que a *definição operacional*, quando pode ser usada, ajuda a compreender um conceito, orientando-nos para determinada experiência no mundo extensional. Entretanto, é bom não exagerar o seu valor. De fato, muitos conceitos científicos podem não servir para ser observados, medidos ou registrados através de "operações". Além disto, a "operação" apresenta um valor relativo, no sentido de que o modo de operar de um indivíduo não é exatamente igual ao de outro. Finalmente, ao invés de a "operação" determinar o conceito, podemos supor que é o contrário: alguém precisa ter primeiramente o conceito para depois definir os modos de operação que lhe são aptos.

Para concluir o que foi dito neste capítulo, convém lembrar que o pesquisador não está interessado diretamente nas palavras mas nos *conceitos* que elas indicam e nos aspectos da *realidade empírica* que elas mostram. Para alcançar o significado e o referente o pesquisador necessita das *definições*. A adequação no uso dos termos e a utilização de definições corretas são meios de que dispõem o pesquisador para fazer raciocínios apropriados e desvendar para si mesmo e para os outros o conhecimento que tem do mundo em que vive.

CAPÍTULO III

A observação

1. Noções preliminares

O campo específico da ciência é a realidade empírica. Ela tem em mira os fenômenos que se podem ver, sentir, tocar, etc. Daí a importância que tem a *observação.* Devemos considerá-la como ponto de partida para todo estudo científico e meio para verificar e validar os conhecimentos adquiridos. Não se pode, portanto, falar em ciência sem fazer referência à observação.

Mas o termo 'observação' deve ser tomado aqui num sentido bem amplo. Como diz Minon: "Não se trata apenas de ver, mas de examinar. Não se trata somente de entender mas de auscultar. Trata-se também de ler documentos (livros, jornais, impressos diversos) na medida em que estes não somente nos informam dos resultados das observações e pesquisas feitas por outros mas traduzem também a reação dos seus autores"[21]. E, por ser tão amplo, podemos dizer que, de modo geral, a observação abrange, de uma forma ou de outra, todos os procedimentos utilizados na pesquisa.

Na vida quotidiana, a observação é um dos meios mais frequentemente utilizado pelo ser humano para conhecer e compreender pessoas, coisas, acontecimentos e situações.

---

21. Paul Minon, *Initiation aux méthodes*, p. 20.

Nas pessoas, podemos observar diretamente suas palavras, gestos e ações. Indiretamente, podemos também observar os seus pensamentos e sentimentos, desde que se manifestem na forma de palavras, gestos e ações. Da mesma forma indireta, podemos, ainda, observar as *atitudes* de alguém, isto é, o seu ponto de vista e predisposição para com determinadas coisas, pessoas, acontecimentos, etc.

Entretanto, não podemos observar *tudo* ao mesmo tempo. Nem mesmo podemos observar *muitas coisas* ao mesmo tempo. Por isso uma das condições fundamentais de se observar bem é *limitar* e *definir* com precisão o que se deseja observar. Isto assume tal importância na ciência, que se torna uma das condições imprescindíveis para garantir a validade da observação.

No sentido mais simples, *observar é aplicar os sentidos a fim de obter uma determinada informação sobre algum aspecto da realidade.* Existe uma *observação vulgar,* da qual acima já falamos, e que é fonte constante de conhecimento para o homem a respeito de si mesmo e do mundo que o circunda. Assim, pela observação ele conhece e aprende o que é útil e necessário para sua vida, desde coisas muito simples como, por exemplo, qual o ônibus que o leva ao trabalho, qual o ponto em que deve tomar o ônibus e deve saltar, qual o estado de humor do "chefe", pela fisionomia que apresenta, etc. Estes conhecimentos nos ajudam a discernir as reações que devemos ter diante de cada situação. Através da observação vulgar chegamos, ainda, a um certo conhecimento e compreensão do mundo, da natureza que, embora imprecisa e de certa forma inadequada, nos ajudam, no entanto, a explicá-la e a fazermos previsões. O pescador, pela "prática", é capaz de conhecer as nuvens e ventos que ocasionam chuva e pode prever se esta vai acontecer ou não. É ainda capaz de explicar as circunstâncias marítimas, que favorecem ou prejudicam a pesca e, deste modo, dizer se o dia será piscoso ou não. Entretanto, a observação vulgar, além de oferecer compreensão e previsões muito limitadas e superficiais, está sujeita a frequentes enganos e a erros crassos. Podemos ver as duas coisas – os benefícios e os danos da observação vulgar – no conceito que o povo simples tem, por exemplo, de doenças e no modo de curá-las através de ervas e benzimentos.

A *observação científica* surge, não para destruir e negar o valor da observação vulgar, mas para valer-se das possibilidades que ela oferece, completando-a, enriquecendo-a e aperfeiçoando-a, a fim de lhe dar maior validade, fidedignidade e eficácia. E, para estudá-la, vamos dividi-la, agora, em dois aspectos: a observação assistemática e a sistemática.

2. A observação assistemática

A *observação assistemática* – chamada também de "ocasional", "simples", "não estruturada" – é a que se realiza, sem planejamento e sem controle anteriormente elaborados, como decorrência de fenômenos que surgem de imprevisto. Imaginemos que um psicólogo esteja passando por uma rua e veja um prédio ser atingido por um incêndio de grandes proporções. Ele pode transformar o evento, a que por acaso assiste, em oportunidade para estudar, por exemplo, o comportamento dos indivíduos diante de uma tragédia. Para continuar o seu estudo pode, depois, completar a observação com fotos, filmes, gravações, noticiários de jornais, etc.

Para as ciências do comportamento humano, a *observação ocasional* é muitas vezes a única oportunidade para estudar determinados fenômenos. Muitos destes não podem ser reproduzidos para serem verificados numa situação de controle, porque isto seria impossível ou imoral ou ilegal, ou teria, ao mesmo tempo, todos estes impedimentos. Assim, por exemplo, além de ser ilegal é também imoral atear-se fogo num prédio para estudar a reação dos indivíduos diante de uma tragédia. Mesmo em casos extremos, como, por exemplo, de um condenado à morte (num país onde a pena existe), considera-se ilegal e imoral causar-lhe danos físicos ou psicológicos, no intuito de se fazer determinada pesquisa. Por isso, o meio que se tem para estudar certos fenômenos é de se aproveitar o acontecimento fortuito. Neste caso, a condição para se observar é não perder a oportunidade de "ver" o que está acontecendo. Isto exige do pesquisador uma atitude de *prontidão*, isto é, de estar sempre preparado e atento ao que vai acontecer, na área da pesquisa em que está interessado. Esta *prontidão*, este estar-atento-ao-que-vai-acontecer deu ocasião a grandes descobertas e inventos da humanidade, fato que já se tornou até lendário, afirmando-se mesmo que "as grandes invenções foram feitas por acaso". Não há dúvida que o acontecimento pode ter surgido de modo inesperado. Entretanto, só produziu o efeito da "invenção" ou da "descoberta" porque foi "visto" por alguém que estava *preparado* para observá-lo, embora sem saber o momento em que haveria de surgir. Sob este aspecto, podemos afirmar que a invenção é muito mais decorrência da *atenção* do observador do que da espontaneidade do acontecimento.

Entretanto, o fato de se dizer que, na observação assistemática, o acontecimento se dá de modo *imprevisto* não significa que seja necessariamente de repente, sem nenhuma previsão do pesquisador. Mas pode indicar também que o acontecimento era esperado, desconhecendo-se, no entanto, em grau maior ou menor, o momento em que havia de surgir. Caracteriza a observação assistemática o fato de o conhecimento ser obtido através de uma experiência casual, sem que se tenha determinado de antemão quais os aspectos relevantes a serem observados e que meios utilizar para observá-los: isto vai depender da iniciativa do observador, enquanto está atento ao que acontece.

Neste caso, há duas situações possíveis: a) o observador é *não participante*: aparece como um elemento que "vê de fora", um estranho, uma pessoa que não está envolvida na situação, como, por exemplo, um professor interessado em conhecer o comportamento dos alunos na hora do recreio e que os observa de uma janela; b) o observador é *participante*, faz parte da situação e nela desempenha uma função, um papel, como, por exemplo, alguém que observa a reação dos alunos numa sala de aula, da qual ele mesmo é o professor. O observador pode começar como não participante e depois tornar-se participante e vice-versa. Costuma-se advertir que quanto mais alguém é participante mais pode estar envolvido emocionalmente, perdendo a objetividade e prejudicando com isso a observação. Entretanto, pelo menos em determinadas circunstâncias, torna-se muito difícil (ou muito superficial) a observação de situações das quais não se participa.

Kaplan, citando Hanson, diz que "o *observador-padrão* não é o homem que vê e relata o que todos os observadores normais veem e relatam, mas o homem que vê em objetos familiares o que ninguém viu antes"[22]. Para quem deseja se dedicar à pesquisa esta ideia é muito importante. Só para dar um exemplo, o *problema da pesquisa*, início de todo processo, nasce frequentemente da intuição de alguma dificuldade existente na realidade ou numa teoria. Esta dificuldade, em geral percebida casualmente, é fruto da atenção, perspicácia e discernimento de quem é capaz de selecioná-la, entre muitas outras que poderiam ser vistas e escolhidas. Assim, quem estiver preparado para ver e tiver acuidade para discriminar pode sempre descobrir, na realidade e na teoria, um farto material, útil para qualquer fase do processo da pesquisa em que se encontrar.

---

22. Abraham Kaplan, *A conduta na pesquisa*, p. 140.

Sob o ponto de vista da pesquisa, muito importante é o *registro* que se faz da observação. Nele deve haver grande fidelidade, anotando-se realmente os *fatos* que foram observados, procurando não misturá-los com desejos e avaliações pessoais. Se, por acaso, quisermos registrar também o nosso ponto de vista, é necessário que isto seja feito separadamente: numa parte do registro os fatos que observamos e, noutra parte, distinta da primeira, as nossas opiniões e interpretações sobre os fatos.

3. A observação sistemática

A *observação sistemática* – chamada também de "planejada", "estruturada" ou "controlada" – é a que se realiza em condições controladas para se responder a propósitos, que foram anteriormente definidos. Requer planejamento e necessita de operações específicas para o seu desenvolvimento.[23]

Em qualquer processo de observação sistemática, devemos considerar os seguintes elementos: a) *por que observar?* (referindo-se ao *planejamento* e *registro* da observação); b) *para que observar?* (*objetivos* da observação, definidos pelo interesse da pesquisa); c) *como observar?* (*instrumentos* que utiliza para a observação); d) *o que observar?* (o *campo da observação*, de que falaremos mais abaixo); e) *quem observa?* (*sujeito* da observação: o observador). Estes itens pretendem indicar que a observação sistemática: A) deve ser *planejada*, mostrando-se com precisão como deve ser feita, que dados registrar e como registrá-los; B) tem como objetivo obter informações da realidade empírica, a fim de verificar as hipóteses que foram enunciadas para a pesquisa. Deve-se, portanto, indicar *quais as informações*

---

23. *Laboratório de Ensino Superior*, EFRGS, p. 121.

que realmente interessam a observação; C) a fim de obter estas informações é necessário *utilizar um instrumento*: que instrumento utilizar e como aplicá-lo a fim de obter exatamente as informações desejadas; D) é necessário *indicar e limitar a "área"* da realidade empírica onde as informações podem e devem ser obtidas; E) é necessário que o observador tenha competência para observar e obtenha os dados com imparcialidade, *sem contaminá-los* com suas próprias opiniões e interpretações.

No sentido restrito só a observação sistemática pode ser usada como técnica científica. A observação assistemática pode servir a interesses científicos e realmente pode ser muito importante, por exemplo, para o estudo exploratório de uma pesquisa. Mas não é propriamente uma *técnica* no sentido de que podem ser previstos, para realizá-la, procedimentos, condições e normas que garantam a sua eficácia, dando aos seus resultados validade de controle. O valor da observação sistemática depende da iniciativa e competência pessoal de quem a utiliza.

O planejamento de uma observação sistemática inclui a indicação do *campo*, do *tempo* e da *duração* da observação, bem como os *instrumentos* que serão utilizados e como serão registradas as informações obtidas. A indicação do *campo* serve para *selecionar, limitar* e *identificar* o que vai ser observado. E só pode ser definido quando se tem, para determiná-lo, a formulação de um problema, enunciado na forma de uma indagação que deve ser respondida. Há três elementos importantes que o *campo da observação* deve abranger: a) *população* (a que ou a quem observar); b) *circunstâncias* (quando observar); c) *local* (onde observar). Mesmo procurando determinar estes elementos, o *campo* ainda aparece muito amplo para a observação.

Como este livro tem finalidade didática, talvez ajude, para que o leitor possa observar a realidade, dividir o campo da observação em partes, a que denominaremos de *uni-*

*dades de observação**. Estas são agrupamentos de pessoas, coisas, acontecimentos, etc., que, sob o ponto de vista de nossos conceitos (ou compreensão que temos dos mesmos), possuem características comuns e, de alguma forma, significativas para a pesquisa que estamos fazendo. Se considerarmos que o *termo* serve para indicar alguma *coisa* na realidade (p. ex.: cadeira) e ao mesmo tempo para indicar o *conceito* que temos da coisa (p. ex.: o que pensamos da cadeira), então a *unidade de observação* é um modo de *classificar conceitos*, distinguindo e agrupando mentalmente o que existe na realidade. Certas modalidades ou características das unidades de observação denominam-se "variáveis", mas isto iremos estudar mais adiante.

Vejamos um exemplo. Imaginemos que estamos assistindo (observando) a um jogo de futebol. O *campo de observação* é constituído pelos seguintes elementos: a) *população*: os jogadores de futebol; b) *circunstância*: enquanto disputam a partida; c) *local*: no campo em que jogam. Para as *unidades de observação* e suas respectivas *variáveis* podemos dar os seguintes exemplos: A) quanto à *população*: os jogadores formando agrupamentos de acordo com o *time* a que pertencem (unidade de observação) e o *entusiasmo* ou *desânimo* com que jogam (variáveis); B) quanto à *circunstância: primeiro e segundo tempos* da disputa do jogo (unidades de observação) e se houve ou não *gol* para cada um dos times em cada um dos tempos (variáveis; C) quanto ao *local*: cada *parte do campo* que mentalmente dividimos para acompanhar o jogo, p. ex.: perto das traves, centro do campo, etc. (unidades de observação) e se cada uma das partes está em *boa conservação, bem gramada*, etc. (variáveis).

---

* Bravo diz que "as unidades de observação são as pessoas, grupos, objetos, atividades, instituições e acontecimentos sobre os quais versa a pesquisa" (veja op. cit., p. 32).

A observação sistemática pode ser feita de modo *direto*, isto é, aplicando-se imediatamente os sentidos sobre o fenômeno que se deseja observar ou, de modo *indireto*, utilizando-se instrumentos para registrar ou medir a informação que se deseja obter. A diferença entre uma e outra não está propriamente no uso de instrumentos, mas em se, para obter a informação, é necessário ou não uma *inferência*, isto é, se a partir do que foi registrado ou medido é necessário ou não *concluir* a informação que se deseja. Desta forma, pode-se fazer, por exemplo, a observação indireta da inteligência, através de um teste, mas usar um binóculo, que apenas aumenta a capacidade visual, permitindo, no entanto, que os sentidos continuem diretamente aplicados sobre o fenômeno, não torna a observação indireta.

Para a pesquisa, melhor são os instrumentos que ensejam o resultado das informações em símbolos numéricos e não apenas em palavras. De fato, os números oferecem maior precisão e melhor oportunidade de discriminação. Na verdade, se alguém diz: "Observei que Pedro é um pouco melhor do que Antônio em matemática" é menos preciso e menos discriminatório do que afirmar: "Apliquei uma prova para saber qual o aproveitamento dos meus alunos em matemática: Pedro tirou 10 e Antônio, 9,5". A linguagem numérica para os fins da pesquisa é melhor do que a linguagem verbal. Entretanto, Reuchlin previne que "a utilização de uma linguagem quantitativa por parte do observador supõe que ele tenha sabido construir ou buscar instrumentos apropriados que lhe tornem possível medir, ordenar e contar e que ele tenha sido capaz de sistematizar a maneira de pô-los em ação"[24].

---

24. M. Reuchlin, *Os Métodos em Psicologia*, p. 34.

4. A observação documental

Rigorosamente falando, o termo *observação* deve se referir apenas a *fatos* existentes na realidade empírica. Entretanto vamos utilizá-lo num sentido mais extensivo, aplicando-o também ao "uso da biblioteca", tanto porque nela se encontram as observações e experiências que os outros já fizeram, como também porque nela se acham as bases conceituais, sem as quais não pode haver verdadeira observação científica.

Alguém pode supor apressadamente que, como na pesquisa se faz tanta questão da experiência, o "uso da biblioteca" parece supérfluo. E, no entanto, não se pode fazer uma pesquisa válida sem consultar livros e outras obras, em cada uma das fases do processo. De fato, logo no início, para a escolha e definição do tema da pesquisa, é necessário recorrer à biblioteca, não apenas para buscar subsídios que orientem a escolha e ajudem o enunciado, mas também para saber se o assunto que se pretende estudar já foi ou não motivo de outras pesquisas. Seria, no mínimo, desagradável alguém afirmar que está fazendo um trabalho original, quando não passa de uma repetição do que outros já fizeram, ou, então, dizer que é uma repetição, quando, de fato, o que se está fazendo é diferente do que o outro já fez. De qualquer maneira, seja original ou repetição, é necessário saber como os outros procederam na delimitação do tema e na realização de cada uma das fases do método, quer a pesquisa seja idêntica à nossa ou apenas semelhante sob algum aspecto.

É de máxima importância definir com exatidão a área de conhecimento humano (psicologia, sociologia, educação, etc.) a que pertence o nosso tema e determinar os fundamentos teóricos que lhe servem de base, isto é, estabelecer quais as relações entre o assunto da nossa pesquisa e a Teoria Científica que desejamos utilizar. Alguns consideram que, se não for possível estabelecer um vínculo determinado com alguma teoria, falta consistência e a pesquisa se torna ociosa, pois, dizem, a finalidade desta é verificar, validar ou ampliar os conhecimentos contidos numa teoria. O conhecimento e aprofundamento desta, bem como a resolução de dúvidas que sobre a mesma eventualmente possa aparecer, obtém-se pelo estudo e consulta de livros, obras, etc.

Hayman explica que o uso da biblioteca é necessário, primeiramente para a formulação do problema da pesquisa, pelos seguintes motivos: a revisão da literatura ajuda ao pesquisador delimitar e definir o problema, fazendo com que se evite o manejo de ideias confusas e pouco definidas. Além disto, faz o pesquisador evitar os setores estéreis do problema, considerando as tentativas anteriores, que já foram feitas neste âmbito, e evitando a duplicação de dados já estabelecidos por outros. A revisão da literatura pode, ainda, ajudar o pesquisador na revisão da metodologia que pretende usar pelas sugestões e oportunidades de deduções, recomendadas por pesquisas anteriores para as que fossem feitas depois[25].

O pesquisador deve também usar a biblioteca para enunciar suas hipóteses, garantindo-lhes validade e consistência e fazendo que estejam sintonizadas, tanto com o conhecimento global da ciência como com a área específica, em cujo domínio se realiza a pesquisa. Ainda devem ser consultadas obras apropriadas para a construção do instrumento de pesquisa e sua aplicação, como também para serem elaborados corretamente os planos necessários à coleta de dados, bem como serem determinados adequadamente os procedimentos necessários à sua codificação e tabulação. Finalmente, outras pesquisas e trabalhos diversos, feitos na mesma área, servirão de indicação precio-

---

25. John L. Hayman, *Investigación y educación*, p. 49 e 50.

sa para a análise e à interpretação das informações que foram obtidas. Tudo isto são apenas referências bem gerais. Na prática, o uso da biblioteca depende evidentemente das necessidades, experiências e iniciativa de cada um, de acordo com o que lhe for sugerido pelas suas consultas, reflexões pessoais e interesses da pesquisa que está fazendo.

Temos empregado a expressão "uso da *biblioteca*" para indicar tudo que se encontra dentro dela e que pode ser utilizado com algum proveito para o trabalho da pesquisa. Inclui, portanto, enciclopédias, livros, catálogos, revistas especializadas ou não especializadas, jornais, monografias, comunicação pessoal de cientista, filmes, gravações, etc. Os livros e as revistas especializadas têm valor diferente para o trabalho de pesquisa. Estas – revistas especializadas – são mais úteis do ponto de vista da atualização. Servem para informar sobre estudos recentes do assunto que nos interessa. Os livros dão geralmente uma visão global, mais completa; entretanto, como levam mais tempo para serem publicados, perdem, por isso, muito de sua atualidade.

Para tornar o uso da biblioteca mais produtivo, Best apresenta um "método para tomar notas" que, resumidamente, é o seguinte: a) *antes de começar a tomar nota, folhear a fonte de referência:* é básica uma visão de conjunto, global, antes de se poder decidir qual o material que deve ser recolhido e usado; b) *manter em cada ficha um tema ou título determinado.* Colocar o tema na parte superior da ficha e, na parte inferior, deve-se fazer a citação bibliográfica completa; c) incluir somente um tema em cada ficha e, se as notas são extensas, usar várias fichas numeradas consecutivamente; d) *antes de guardá-las, ter a certeza de que as fichas estão completas* e são compreendidas com facilidade; e) *fazer, na ficha, distinção entre resumo, citação direta do autor, referência à fonte do autor e a expressão avaliadora pessoal de quem faz a ficha;* f) *copiar cuidadosamente as notas da primeira vez,* sem fazer projeto de passar a limpo e nem de tornar a copiar, pois isto é perda de tempo e dá possibilidade a erros e confusões; g) para onde for, *levar sempre consigo alguma ficha:* pode de repente surgir alguma ideia; h) *cuidado para não perder as fichas*; i) *procurar guardar as fichas sempre em ordem*[26].

O autor dá os dois exemplos de fichas que vão abaixo. A primeira é *ficha de conteúdo* (também chamada *documental*) que pode apresentar uma *citação* ou um *resumo* ou uma *síntese* ou *referências breves* e concisas de um autor. A *ficha bibliográfica* contém um breve *comentário* de livros ou outras obras que nos podem ser úteis, anotando-se nela o que nos interessa, explicando por que nos interessa. O assunto, no exemplo da *ficha de conteúdo*, é de interesse discutível, mas, certamente, a mesma vale como ilustração da forma que Best recomenda:

a) Ficha de conteúdo

Natureza intuitiva do conhecimento angélico "Por outra parte, no anjo não se dá a obscuridade do conhecimento imperfeito, nem tampouco imperfeição em suas potências. O entendimento angélico está sempre em ato com relação ao que pode entender. Entretanto, os anjos possuem também suas limitações naturais. Sua mente não esgota a realidade, nem seu pensamento se identifica com a sua essência". BRENNAN, R.E. *Psicologia tomista*. Trad. do Pe. Efrén Villacorta, O.P. Madrid, Morata 1960, p. 219.

26. J.W. Best, *Como investigar*, p. 57s.

b) Ficha bibliográfica

373.1

MEILI, R.
Manual de diagnóstico psicológico. Madrid, Ed. Morata 1955.
Explica detalhadamente a técnica, análise e comprovação dos testes. Inclui apêndice e bibliografia seletiva.

CAPÍTULO IV

O projeto de pesquisa

1. Noções preliminares

A pesquisa científica deve ser planejada, antes de ser executada. Isso se faz através de uma elaboração que se denomina "projeto de pesquisa". Embora, muitas vezes, as expressões *projeto de pesquisa* e *plano de pesquisa* sejam tomadas como sinônimos, faremos distinção em nosso estudo, dizendo que *projeto* é um todo, constituído por partes a que chamaremos, cada uma delas, de *plano*: o plano será, portanto, uma parte do projeto.

Holanda explica que um planejamento, até alcançar a forma de um projeto, passa pelas seguintes fases: a) *estudos preliminares*, cujo objetivo é o equacionamento geral do problema, fornecendo subsídios para a orientação da pesquisa ou identificando obstáculos que evidenciam a inviabilidade do projeto; b) *anteprojeto* que é um estudo mais sistemático dos diversos aspectos que deverão integrar o projeto final, mas ainda em bases gerais, sem defini-lo com rigor e precisão; c) *projeto final ou definitivo* é o estudo dos diversos aspectos do problema, já apresentando detalhamento, rigor e precisão. A diferença entre anteprojeto e projeto final não se pode estabelecer com nitidez e precisão. E, completando as etapas do planejamento, o autor acrescenta: d) *montagem e execução*: colocação em funcionamento; e) *funcionamento normal*[27].

---

27. Nilson Holanda, *Planejamentos e Projetos*, p. 102.

Para dar um exemplo simples de como se começa um projeto de pesquisa, imaginemos que, numa determinada Escola, o Diretor solicite ao Orientador Educacional para verificar o resultado de um novo método de ensino que vai ser aplicado. A verificação solicitada deve ser feita através de uma pesquisa e, para realizá-la, é necessário elaborar um projeto. O O.E. tem, como ponto de partida, *estudos preliminares* (ou estudos exploratórios), a fim de poder delimitar o tema do projeto e colher subsídios que ajudem a elaborá-lo. Nesta etapa, os esforços do Orientador estarão certamente dirigidos em três direções importantes: a) *conhecimento teórico* do novo método de ensino que se pretende implantar e do método tradicional que já é utilizado pela Escola. Além disto, fará outros estudos em plano mais amplo, p. ex.: de Psicologia, Sociologia, etc. para conhecer mais profundamente as implicações e consequências que podem ter a Teoria de Aprendizagem do novo método a ser aplicado; b) *conhecimento prático* através da observação das salas de aula, professores, alunos, estratégias utilizadas em classe, etc., numa palavra, experiência, conhecimento e compreensão, através de uma observação exploratória, do campo de observação em que vai trabalhar; c) *análise e avaliação dos elementos* que vão sendo progressivamente encontrados em *a* e *b* (pelo conhecimento teórico e prático), selecionando os que parecem aproveitáveis para serem usados no projeto de pesquisa e definindo, pelo menos a "grosso modo", como serão utilizados, quando tiver que fazer a elaboração do referido projeto; d) *adequação ao projeto dos elementos selecionados*, isto é, uma vez que os elementos foram selecionados (como foi dito no item *c*) precisam um "tratamento" para ajustarem-se convenientemente à elaboração do projeto. O primeiro cuidado é formar um *conceito* adequado, claro e distinto dos elementos que foram selecionados (de acordo com o que foi dito no cap. II sobre o uso dos termos). Depois é necessário determinar os elementos que precisam ser *definidos* e, neste caso, dar-lhes, à medida do possível, uma definição de referência empírica, isto é, que os tornem suscetíveis de serem observados na realidade empírica, dentro da perspectiva que interessa à pesquisa. A elaboração de um projeto se faz através da construção de um quadro conceitual e, para construí-lo, precisamos colocar cada elemento que foi selecionado (isto é, cada conceito considerado relevante para a pesquisa) no seu respectivo lugar, fazendo com que se integrem uns com os outros. Para ajudar o leitor neste trabalho, vamos oferecer mais adiante, em Apêndice, um *modelo* que indica como se distribui os elementos selecionados, num formulário a fim de se elaborar o projeto.

2. Como elaborar um projeto de pesquisa?

Um principiante pode supor que elaborar projetos é perder tempo e que o melhor é começar imediatamente o trabalho da pesquisa. No entanto, a experiência vai lhe ensinar que o início de uma pesquisa, sem projeto, é lançar-se à improvisação, tornando o trabalho confuso, dando insegurança ao mesmo, reduplicando esforços inutilmente e que, agir desta maneira, é motivo de muita pesquisa começada e não terminada, num lastimoso esbanjamento de tempo e recursos. Além disto, se a pesquisa, que alguém pretende fazer, é para organizações nacionais e internacionais, então certamente será obrigatória a aprovação anterior de um projeto, como condição para aceitá-la ou financiá-la.

Fazer um projeto de pesquisa é traçar um caminho eficaz que conduza ao fim que se pretende atingir, livrando o pesquisador do perigo de se perder, antes de o ter alcançado. Diz Churchman que "planejar significa traçar um curso de ação que podemos seguir para que nos leve às nossas finalidades desejadas". E diz também que o objetivo do planejamento é organizar a ação de tal maneira que nos leve a evitar surpresas, pois, "para o planejador, a surpresa é uma situação insatisfatória", e que "se pensarmos bem naquilo que vamos fazer, com antecedência, estaremos em melhores condições"[28].

Diz Belchior que *projeto* é a "mobilização de recursos para a consecução de um objetivo predeterminado, justificado econômica ou socialmente, em prazo também determinado, com o equacionamento da origem dos recursos e detalhamento das diversas fases a serem efetivadas até à sua execução"[29]. Aqui, a definição é mais restrita, visando diretamente objetivos econômicos e administrativos. Mas serve também para o projeto de pesquisa científica. De fato, neste, o *objetivo predeterminado* é a solução que se pretende alcançar para um determinado problema. Para encontrá-la, far-se-á *mobilização de recursos*, tanto humanos como materiais, bibliográfico, instrumental e financeiro. Deve-se *provar* que os recursos mobilizados, o tempo e as despesas que serão gastos justificam a solução que se procura pela pesquisa. No projeto deve existir *detalhamento das diversas fases* a serem efetivadas, apresentando-se também, num cronograma, o *tempo que será necessário* para executá-lo e o que será feito em cada momento dele.

Para Belchior, um projeto serve essencialmente para responder às seguintes perguntas: *o que fazer? por que, para que e para quem fazer? onde fazer? como, com que, quanto* e *quando fazer? com quanto fazer? como pagar? quem vai fazer?*

Aproveitando estas indagações de Belchior, damos abaixo os pontos fundamentais de um projeto de pesquisa. Para

---

28. C. West Churchman, *Introdução à Teoria dos Sistemas*, p. 190.

29. Procópio G.O. Belchior, *Planejamento e elaboração*, p. 11.

isto, como já foi dito, consideraremos o projeto como um *todo*, integrado por partes, que são os *planos*.

Em Apêndice, no fim deste livro, encontra-se um *modelo de projeto de pesquisa*, elaborado por nós, de acordo com estes pontos fundamentais que passaremos a apresentar e com o objetivo didático de ser devidamente preenchido pelo leitor, como exercício prático de elaboração de um projeto de pesquisa.

PONTOS FUNDAMENTAIS DE UM PROJETO DE PESQUISA

(Obs.: para ilustrar a organização dos diversos planos que seguem, iremos utilizar sempre o mesmo exemplo hipotético que é "testar a eficácia de um novo método de ensino aplicado aos alunos do 2º grau do Colégio X".)

1) O QUE FAZER? (*Planos da natureza e formulação do problema e do enunciado das hipóteses*)

1.1. formular o problema

1.2. enunciar as hipóteses

1.3. definir os termos do problema e das hipóteses

1.4. estabelecer as bases teóricas, isto é, a relação que existe entre a teoria, a formulação do problema e o enunciado das hipóteses (*por que* e *de que modo* a formulação do problema e o enunciado das hipóteses se refere à teoria?)

1.5. consequência para a escola e/ou para a teoria se as hipóteses forem aceitas ou, ao contrário, se forem rejeitadas.

2) POR QUÊ? PARA QUÊ? E PARA QUEM FAZER? (*Planos dos objetivos e da justificativa da pesquisa*)

2.1. POR QUÊ? (*justificativa da pesquisa*)

2.1.1. motivos que justificam a pesquisa:

2.1.1.1. motivos de ordem teórica.

2.1.1.2. motivos de ordem prática.

2.2. PARA QUÊ? (*objetivos gerais da pesquisa*)

2.2.1. definir, de modo geral, o que se pretende alcançar com a execução da pesquisa (visão global e abrangente).

2.3. PARA QUEM? (*objetivos específicos da pesquisa*)

2.3.1. fazer aplicação dos objetivos gerais a situações particulares:

2.3.1.1. do Colégio X.

2.3.1.2. de professores, alunos, etc., do mesmo Colégio.

3) ONDE FAZER? COMO? COM QUÊ? QUANTO? QUANDO?

(*plano do experimento*)
a) população e amostragem
b) controle de variáveis
c) instrumento de pesquisa
d) técnicas estatísticas
e) cronograma.

3.1. ONDE? COMO? (*campo de observação*)

3.1.1. descrever o *campo de observação* com suas *unidades de observação* e *variáveis* que interessam à pesquisa:

3.1.1.1. população com suas características

3.1.1.2. se for utilizar amostra, justificar, dando os motivos, e apresentar o modo como a amostra será selecionada e suas características

3.1.1.3. local

3.1.1.4. unidades de observação relevantes para a pesquisa

3.1.1.5. quais as variáveis que serão controladas, como serão controladas, qual o plano de experimento que será utilizado.

3.2. COM QUÊ? (*instrumento de pesquisa*)

3.2.1. descrever o instrumento da pesquisa que vai ser utilizado

3.2.2. que informações se pretende obter com eles

3.2.3. como o instrumento será usado ou aplicado para obter estas informações.

3.3. QUANTO? (*utilização de provas estatísticas*)

3.3.1. quais as hipóteses estatísticas enunciadas

3.3.2. como os dados obtidos serão codificados

3.3.3. que tabelas serão feitas e como serão feitas

3.3.4. que provas estatísticas serão utilizadas para verificar as hipóteses

3.3.5. em que nível de significância

3.3.6. previsão sobre interpretação dos dados.

3.4. QUANDO? (*cronograma*)

3.4.1. definir o tempo que será necessário para executar o projeto, isto é, para realizar a pesquisa, dividindo o processo em etapas e indicando que tempo é necessário para a realização de cada etapa.

4) COM QUANTO FAZER E COMO PAGAR? (*Plano dos custos da pesquisa*)

4.1. prever os gastos que serão feitos com a realização da pesquisa, especificando cada um deles.

5) QUEM VAI FAZER? (*Plano do pessoal responsável pela pesquisa*)

5.1. coordenador da pesquisa e/ou responsável pela mesma

5.2. entidades coparticipantes, se for o caso

5.3. participantes de nível técnico

5.4. pessoal auxiliar.

(N.B.: num projeto de pesquisa, o quesito referente ao item 5 – que, para seguir a ordem das perguntas, colocamos em último lugar – é colocado geralmente em primeiro lugar, começando por ele a apresentação do projeto.)

Alguns termos que acabamos de utilizar nestes "Pontos fundamentais de um projeto de pesquisa" já foram estudados anteriormente como: *definir*, *campo de observação* e *unidade de observação*. Outros foram apresentados superficialmente e voltarão a ser tratados com maior profundidade em capítulos posteriores como: *formular problema* e *enunciar hipóteses*. Outros, ainda, são termos novos, que serão explicados em capítulos que virão depois, como: *experimento, controle de variáveis, instrumento de pesquisa* e *provas estatísticas*. E agora, logo em seguida, queremos apresentar um conceito que assume grande importância na pesquisa e, consequentemente, no projeto da mesma e que se chama "amostra".

3. População e amostra

Já foi dito que a pesquisa científica não está interessada em estudar indivíduos isolados ou casos particulares. Seu objetivo é, antes, estabelecer generalizações, a partir de observações em grupos ou conjunto de indivíduos chamados de "população" ou "universo" e que já tivemos a oportunidade de indicar, quando, anteriormente, estudamos os componentes de um *campo de observação*.

O termo *população*, usado no sentido vulgar, indica apenas um conjunto de pessoas que habita determinada área geográfica. Em pesquisa o conceito é mais amplo. Designa a totalidade de indivíduos que possuem as mesmas características, definidas para um determinado estudo. O conceito é, portanto, "fluido", dependendo, em cada caso, das especificações de características que forem feitas. Se, por exemplo, as especificações forem *pessoas* e *residentes em Recife*, a população será constituída por *todas as pessoas residentes em Recife*. Se as especificações forem ovelhas e campos do *Rio Grande do Sul*, a população será formada por *todas as ovelhas que se encontrarem nos campos do Rio Grande do Sul*. Se as especificações forem *pé de café, atacado pela ferrugem* e *no Estado de São Paulo*, a população será constituída por *todos os pés de café, atacados pela ferrugem, existentes no Estado de São Paulo*. Se as especificações forem alucinação, *doentes paranoicos* e *Casa de Repouso X*, a população será integrada pelas *alucinações dos doentes paranoicos da Casa de Repouso X*. Spiegel diz que "uma população pode ser finita ou infinita. Por exemplo, a população constituída por todos os parafusos produzidos por uma fábrica em certo dia é finita, enquanto que a população constituída por todos os resultados (cara ou coroa) em sucessivos lances de uma moeda é infinita"[30].

Como já foi explicado, podemos, por exemplo, utilizar os termos *pessoas* e *residentes em Salvador* para definir a população constituída por *todas as pessoas que residem em Salvador*. Mas podemos também fazer uso de novos termos a fim de especificar outras populações que se encontram dentro de populações já definidas. Assim, podemos acrescentar *alunos universitários*, ao exemplo dado acima, e teremos, então, a população de *alunos universitários* dentro da população de *todas as pessoas que residem em Salvador*. Se quiséssemos, podíamos, agora, acrescentar o termo *sexo feminino* e, desta maneira, teríamos a população dos *indivíduos de sexo feminino* dentro de uma população mais ampla de *alunos universitários* dentro de uma população mais ampla ainda de *todas as pessoas residentes em Salvador*. A esta população, incluída em outras mais amplas, chamamos de "subpopulação", "estrato de população" ou, simplesmente, "estrato". Assim, no exemplo dado, da população de *pessoas que residem em Salvador*, há o estrato de *alunos universitários* e, neste, o subestrato de *indivíduos do sexo feminino*. Pode acontecer, no entanto, que, de acordo com o interesse da pesquisa, o *estrato* não seja considerado como tal, mas como *população*: isto dependerá do modo como o pesquisador faz as suas especificações. Assim, por exemplo, pode um determinado estudo, ao invés de considerar os *alunos universitários* de

---

30. Murray R. Spiegel, *Estatística*, p. 1.

Salvador como subpopulação, apresentá-los como população, tendo ou não em si uma ou mais subpopulação.

Uma pesquisa geralmente não é feita com todos os elementos que compõem uma população. Costuma-se, neste caso, selecionar uma parte representativa dela, denominada "amostra". Este procedimento de se estudar uma população através de uma amostra é muito comum. Assim, por exemplo, quando vamos fazer exame de sangue, o analista não o retira, todo, para examiná-lo, mas apenas um pouco, numa seringa, com a suposição de poder afirmar da totalidade o que observa na pequena parte que foi retirada. Ostle apresenta os seguintes motivos que justificam ser feito, através de amostra, o estudo da população: a) *quando pela restrição de tempo, dinheiro ou pessoal, existe impossibilidade de se estudar todos os elementos de uma população;* b) *quando a população não existir fisicamente;* c) *quando o exame de cada indivíduo exigir sua destruição*[31]. Independente destes motivos, geralmente considera-se que é melhor trabalhar com amostra do que com população, não só pela maior economia de recursos e tempo, como também porque oferece melhor garantia de controle e precisão. Entretanto, como diz Ostle, neste caso, jamais devemos esquecer: a) *que estamos trabalhando apenas com uma parte da população e não com toda ela;* b) *quais as especificações que caracterizam a população, cuja amostra estamos trabalhando.*

Amostra é, portanto, uma parte da população, selecionada de acordo com uma regra ou plano. O mais impor tante, ao selecioná-la, é seguir determinados procedimentos, que nos garantam ser ela representação adequada da população, donde foi retirada, dando-nos assim confiança de generalizar para o universo o que nela for observado. Para garantir esta representatividade, a técnica de seleção

---

31. B. Ostle, *Estatística aplicada*, p. 63.

de amostra está interessada em responder a indagações fundamentais como as seguintes: a) *quantos indivíduos deve ter a amostra para que represente de fato a totalidade de elementos da população* e b) *como selecionar os indivíduos de maneira que todos os casos da população tenham possibilidades iguais de serem representados na amostra*. Quando as técnicas são utilizadas de tal maneira que, por sorteio, qualquer elemento da população pode ser representado na amostra, diz-se que elas são "probabilísticas".

Selltiz e outros apresentam, como resumidamente segue, os diversos tipos de amostra não probabilística e probabilística:

A) *Não probabilísticas*: a) *amostras acidentais* – consideram-se apenas os casos que vão aparecendo e continua-se o processo até que a amostra atinja determinado tamanho. Assim, por exemplo, um jornalista que deseja saber o que o "povo" pensa a respeito de determinada questão determina quantas pessoas quer entrevistar e depois indaga a motoristas de táxis, barbeiros e outras pessoas que, supostamente, refletem a opinião pública até completar o número determinado; b) *amostra por quotas* – o objetivo fundamental é selecionar uma amostra que seja uma réplica da população para a qual se deseja generalizar. Procura-se, então, incluir na amostra os diversos elementos de que consta a população, tendo certeza que estes elementos são considerados, na amostra, nas mesmas proporções que ocorrem na população. Sabendo-se, por exemplo, que a população tem números iguais de homens e mulheres, entrevistam-se também números iguais de homens e mulheres; c) *amostras intencionais* – através de uma estratégia adequada, são escolhidos casos para a amostra que represente, por exemplo, o "bom julgamento" da população sob algum aspecto, não servindo, consequentemente, os resultados obtidos nesta amostra, para se fazer uma generalização para a população "normal". Podemos, por exemplo, desejar não generalizar para a população, mas obter ideias, numa situação quase exatamente análoga àquela em que alguns especialistas são chamados como conselheiros, para um caso médico difícil. Esses conselheiros não são convocados para que se obtenha uma opinião média de todos os médicos, mas, sim, precisamente por sua maior competência e experiência.

B) *Amostras probabilísticas*: a) *amostra casual simples* – é o planejamento básico da amostra probabilística, em que esta é selecionada por um processo que não apenas dá a cada elemento da população uma oportunidade igual de ser incluído na amostra, mas também torna igualmente provável a escolha de todas as combinações possíveis do número desejado de casos. Suponha-se, por exemplo, que desejemos uma amostra casual simples de dois casos numa população de cinco casos. Os casos são A, B, C, D e E e há dez possíveis pares de casos: AB, AC, AD, AE, BC, BD, BE, CD, CE, DE. Escreve-se cada combinação num papel, colocam-se os dez papéis num chapéu, mistura-se completamente os papéis e faz-se com que uma pessoa, de olhos vendados, retire um dos papéis. Os dois casos, correspondentes às letras no papel que foi selecionado, constituem a desejada amostra casual simples; b) *amostra casual estratificada* – nesta, como na amostra por quotas, a população é inicialmente dividida em dois ou mais estratos, podendo estes ser baseados num só critério, p. ex., sexo, que dará dois estratos: *homens* e *mulheres* ou numa combinação de dois ou mais critérios, p. ex., idade e sexo. Obtém-se, depois, uma amostra casual simples de cada estrato e as subamostras são todas reunidas para formar a amostra total; c) *amostragem por agrupamentos* – nesta, chegamos ao conjunto final, através de amostragem inicial de feixes maiores. Suponhamos, por exemplo, que desejamos fazer um levantamento de crianças do sétimo ano em algum Estado. Podemos proceder da seguinte maneira: preparar uma lista de distritos escolares, classificados talvez pelo tamanho da comunidade, e selecionar uma amostra casual simples ou estratificada. Para cada um dos distritos escolares, incluídos na amostra, enumerar as escolas e delas tirar uma amostra casual simples ou estratificada. Se todas as escolas, assim selecionadas para a amostra, ou algumas delas, têm número maior de classe do sétimo ano do que aquelas que podem ser estudadas, é possível obter uma amostra destas classes em cada uma das escolas. Os instrumentos da pesquisa podem então ser aplicados a todas as crianças destas classes ou a uma amostra de crianças[32].

4. Exemplos de modelos para projetos de pesquisa

Para concluir este capítulo, oferecemos ao leitor dois modelos de projetos de pesquisa. Geralmente, cada entidade tem o seu modelo próprio, apresentado como formulário a ser preenchido e contendo todos eles, com algumas variações, quesitos semelhantes.

A) PRIMEIRO MODELO

Título: modelo de solicitação de apoio financeiro para a execução de um projeto de estudo ou de pesquisa educacional

a) *Na primeira página*

1) ao diretor do (nome da entidade)
assunto: solicitação de apoio financeiro para a execução de um projeto de estudo/pesquisa educacional
2) entidade
3) endereço e telefone
4) coordenador do projeto
5) participantes em nível técnico:
área de graduação (a que cada um pertence) – (os currículos devem ir em anexo)

---

32. Selltiz, Jahoda, Deutsch e Cook, op. cit., p. 578-603.

6) entidades coparticipantes (se for o caso)
7) título do projeto
8) prazo previsto para a entrega do relatório final
9) assinatura do coordenador do projeto
10) data
11) assinatura

b) *Na segunda página*

12) justificativa

c) *Na terceira página*

13) definição do problema
14) hipóteses

d) *Na quarta página*

15) área para a execução do projeto (região, estado, município, bairro, etc.)
16) indicação dos instrumentos que serão utilizados (relacionar: questionários, testes a serem aplicados, ficha de coleta de dados em cadastros, etc. – anexar um exemplar de cada via ao presente modelo)
17) plano para a coleta de dados (inclusive identificação do universo e da amostra selecionada. Em caso de amostra, justificar o dimensionamento e o esquema da amostragem adotados)

e) *Na quinta página*

18) especificação dos quadros de saída (relacionar os quadros de saída simples, os cruzamentos duplos, triplos, etc., que vão oferecer informações para os objetivos da pesquisa)
19) análise estatística dos quadros de saída (em caso de amostra para os quadros de saída que conduzam a uma hipótese a ser testada, justificar a escolha do teste a ser empregado. Dar, em anexo, uma nota técnica com a descrição sucinta sobre o modo de aplicação de cada teste)

f) *Na sexta página e seguintes*

20) fases do projeto e cronograma

21) previsão das despesas:
- 21.1. remuneração do pessoal
- 21.2. aplicação dos instrumentos de pesquisa
- 21.3. codificação dos dados tabulados
- 21.4. tabulação dos dados
- 21.5. diárias
- 21.6. passagens
- 21.7. serviço gráfico
- 21.8. outros serviços
- 21.9. material de consumo
- 21.10. custo de execução do projeto (quadro geral)

B) SEGUNDO MODELO

Este segundo modelo pertence a uma entidade internacional e não apresenta um formulário para ser preenchido, mas apenas questões para serem respondidas e que são as seguintes:

a) Deve-se primeiramente definir bem claramente a *natureza do problema*, em que se inscreve a possível pesquisa, e diagnosticar as consequências negativas da situação que se pretende resolver.

b) Partindo da referida descrição, deve-se definir o *objetivo geral e os objetivos específicos* da pesquisa. É necessário ter muito cuidado, para não confundir metas com procedimentos. Os objetivos devem indicar claramente o que pretende fazer a pesquisa para contribuir, atenuar ou resolver o problema exposto.

c) À luz dos pontos anteriores, deve-se antecipar o esquema de *organização* da pesquisa, incluindo *etapas*, *metas*, *metodologia* e *pessoal*. Sobre este último, devem ser apresentados resumos dos antecedentes dos pesquisadores, mostrando a idoneidade que possuem para resolver o problema exposto.

d) Deve-se apresentar um quadro, com três ou mais colunas, nas quais se indicará o montante de contribuição da entidade solicitante (em dinheiro efetivo, em serviços ou em ambos), na outra, a contribuição que se espera do (entidade que faz estas indicações para o projeto) e, na terceira, a fusão dos totais.

e) O documento preliminar, que apresenta a solicitação, não deve exceder a dez páginas do tamanho carta com duplo espaço.

Foi dito que o projeto é um plano de ação para a pesquisa. Elaborando-o, o indivíduo não apenas recolhe e organiza o material necessário para agir, como tem uma visão de conjunto, e se dispõe ao que vai fazer, com previsão específica do que realizará em cada momento. Noutras palavras, um projeto bem-feito não apenas garante ao pesquisador a orientação que deve seguir, mas também coloca a sua disposição, no momento oportuno, o que ele necessita para executar seus objetivos, além de sustentar um desenvolvimento metódico para o que ele pretende atingir.

CAPÍTULO V

Pesquisa descritiva e pesquisa experimental

1. Noções preliminares

Sob o ponto de vista que interessa ao nosso trabalho, a pesquisa pode ser *descritiva* e *experimental*. Uma das diferenças mais fundamentais que existem entre as duas é que, na primeira, o pesquisador procura *conhecer e interpretar a realidade, sem nela interferir* para modificá-la. Na pesquisa experimental, o pesquisador *manipula deliberadamente* algum aspecto da realidade, dentro de condições anteriormente definidas, a fim de observar se produz certos efeitos. A este procedimento denomina-se *experimento*: não existe pesquisa experimental sem experimento.

Para se realizar a pesquisa (tanto descritiva como experimental) é necessário trabalhar com *variáveis*, mas, de maneiras diferentes, conforme o tipo de pesquisa que está sendo efetivada. Este termo – "variáveis" – constantemente usado na ciência, tem sua origem no campo da matemática, onde serve para designar uma quantidade que pode tomar diversos valores, geralmente considerados em relação a outros valores. Para se compreender o sentido que recebe na pesquisa, imaginemos uma *unidade de observação*, p. ex., os alunos de uma determinada classe de um Colégio. Para caracterizá-los, podemos fazer apelo a certas propriedades que possuem: idade, sexo, etc. A idade, entre eles, pode *variar* (p. ex. 18, 19, 20 anos, etc.) como também o sexo (masculino e feminino). Chamamos, então, de "variáveis" a *estas propriedades que os indivíduos possuem para caracterizá-los e que podem tomar diferentes valores*.

De acordo com o seu *nível de abstração*, podemos distinguir três tipos de variáveis, que Bravo explica da seguinte maneira: a) *variáveis gerais* – referem-se à realidade, mas não são ainda imediatamente empíricas e mensuráveis (p. ex.: separar, por suas *características*, os alunos de uma sala de aula); b) *variáveis intermediárias* – mais concretas e mais perto da realidade do que as anteriores (p. ex.: separar, por características físicas, os alunos de uma sala de aula) e c) *variáveis empíricas ou indicadoras* – que apresentam aspectos da realidade, diretamente mensuráveis e observáveis (p. ex., separar os alunos *por sexo*, colocando os *indivíduos masculinos* de um lado e os *femininos* do outro)[33].

Dentre os modos em que se pode classificar as variáveis, o mais relevante para a pesquisa é distingui-las em *independentes* e *dependentes*, tendo em vista a relação que se estabelece entre elas. Atribui-se à *variável independente* um papel de preparador, contribuinte e causador da segunda, isto é, da *variável dependente* que assume, então, o papel subordinado, de efeito. Entre uma e outra pode surgir a *variável intermediária ou interveniente*, que produz um efeito sobre a relação da variável independente com a dependente. Esta forma de considerar as variáveis é meramente contextual. Isto significa que a variável independente num contexto pode ser dependente noutro e vice-versa. Assim, por exemplo, nestas duas situações: "aluno estudioso (variável independente) é aluno que sabe (variável dependente)" e "aluno que sabe (variável independente) é aluno aprovado (variável dependente)".

---

33. R. Sierra Bravo, op. cit., p. 49.

2. Distinção entre a pesquisa descritiva e a experimental

A diferença que geralmente se estabelece entre os conceitos *descrever* e *explicar* pode, aproximadamente, indicar como a pesquisa descritiva se distingue da experimental. *Descrever* é narrar o que acontece. *Explicar* é dizer por que acontece. Assim, a *pesquisa descritiva* está interessada em descobrir e observar fenômenos, procurando descrevê-los, classificá-los e interpretá-los. A *pesquisa experimental* pretende dizer de que modo ou por que causas o fenômeno é produzido.

Estudando o fenômeno, a *pesquisa descritiva* deseja conhecer a sua natureza, sua composição, processos que o constituem ou nele se realizam. Para alcançar resultados válidos, a pesquisa necessita ser elaborada corretamente, submetendo-se às exigências do método. O problema será enunciado em termos de indagar se um fenômeno acontece ou não, que variáveis o constituem, como classificá-lo, que semelhanças ou diferenças existem entre determinados fenômenos, etc. Os dados obtidos devem ser analisados e interpretados e podem ser qualitativos, utilizando-se palavras para descrever o fenômeno (como, por exemplo, num estudo de caso) ou quantitativos, expressos mediante símbolos numéricos (como, por exemplo, o total de indivíduos numa determinada posição da escala, na pesquisa de opinião).

A pesquisa descritiva pode aparecer sob diversas formas, como, por exemplo: *pesquisa de opinião*, onde se procura saber que atitudes, pontos de vista e preferências têm as pessoas a respeito de algum assunto, com intuito geralmente de se tomar decisões sobre o mesmo. Com este nome – pesquisa de opinião (ou *pesquisa de atitude*) – abrange-se uma faixa muito extensa de investigação, feita com o objetivo de identificar falhas ou erros, descrever procedimentos, descobrir tendências, reconhecer interesses, valores, etc., *pesquisa de motivação* para saber as razões inconscientes e ocultas que levam, por exemplo, o consumidor a utilizar determinado produto, etc.; *estudo de caso* – onde se faz uma pesquisa de um determinado indivíduo, família, grupo ou comunidade com o objetivo de realizar uma indagação em profundidade para se examinar o ciclo de sua vida ou algum aspecto particular desta; *pesquisa para análise de trabalho* a fim de identificar deficiências, elaborar programas de capacitação, distribuir tarefas, determinar normas, etc.; *pesquisa documental* – em que os documentos são investigados a fim de se poder descrever e comparar usos e costumes, tendências, diferenças, etc. (distingue-se da *pesquisa histórica* porque esta se volta para o passado, enquanto que a pesquisa documental faz estudos de presente), etc.

A *pesquisa experimental* está interessada em verificar a relação de causalidade que se estabelece entre variáveis, isto é, em saber se a variável X (independente) determina a variável Y (dependente). E, para isto, cria uma situação de controle rigoroso, procurando evitar que, nela, estejam presentes influências alheias à verificação que se deseja fazer. Depois interfere-se diretamente na realidade, dentro de condições que foram preestabelecidas, manipulando a variável independente para observar o que acontece com a dependente. Nestas circunstâncias, X (variável independente) será causa de Y (variável dependente) se: a) Y não apareceu antes de X; b) se Y varia quando há também variação em X; c) se outras influências não fizeram X aparecer ou variar. Assim, como exemplo, imaginemos que desejamos verificar se num determinado grupo de homens o fumo (variável independente) produz câncer de pulmão (variável dependente). Para que a nossa resposta seja positiva (o fumo é causa do câncer) é necessário observar-se: A) o câncer não apareceu antes dos homens começarem a fumar; B) existe uma correlação positiva entre quantidades de fumantes e quantidade de câncer de pulmão; C) não existem outros fatores capazes de explicar o surgimento do câncer, a não ser o fato de alguém ser fumante. É sobretudo para garantir este último item que, na pesquisa experimental, se cria aquela situação de "controle rigoroso" de que falamos acima.

A pesquisa experimental estuda, portanto, a relação entre fenômenos procurando saber se um é causa do outro. Mas acontece que, também na pesquisa descritiva, pode haver o estudo da relação entre fenômenos, procurando-se conhecer se um é causa do outro. Como, então, distinguir uma da outra, isto é, a descritiva da experimental? Podemos dizer, de modo geral, que a resposta se encontra no *modo* de se obter os resultados. Mas, em seguida, vamos explicar melhor.

Entre os diversos tipos de pesquisa descritiva, há um que se denomina "estudos causais comparativos". Van Dalen e Meyer dizem que sua finalidade é descobrir *de que maneira* e *por que* ocorrem os fenômenos. Dizem que é um procedimento muito difundido usar tal tipo de pesquisa. E explicam: "quando os cientistas estudam as relações de causalidade, preferem empregar o método experimental, mas em alguns casos o método causal comparativo é o único adequado para enfrentar um problema". Dizem que, ao fazer um experimento, "o pesquisador controla todas as variáveis, com exceção das independentes que ele maneja de diversas maneiras para observar as variações que introduz. Mas, por causa da complexidade da natureza dos fenômenos sociais, nem sempre se pode selecionar, controlar e manipular todos os fatores necessários para estudar as relações de causalidade". Os tipos mais representativos de estudos causais comparativos feitos nos Estados Unidos são: análise diferencial do jogo entre adolescentes, diferenças existentes entre alunos conformistas e inconformistas, diferenças quanto à conduta entre crianças superdotadas e "normais", etc.

Para estabelecer a diferença entre os *estudos causais comparativos* e a *pesquisa experimental*, dizem os autores: "em um experimento, o pesquisador pode supor que, submetendo os alunos à experiência A, se observará o resultado B. Em consequência decide manipular a variável independente A; para isto, expõe o grupo experimental à experiência A, efetua as verificações necessárias, mediante um grupo de controle e observa os resultados. Num estado causal comparativo, o pesquisador inverte o procedimento: parte da observação do fenômeno B, que foi produzido, e procura achar, entre as múltiplas causas possíveis, os fatores – variáveis independentes – que se relacionam com o fenômeno ou contribuem para determinar seu aparecimento. Num estudo causal comparativo, o pesquisador analisa uma situação vital, onde os indivíduos já experimentaram o fenômeno que deseja pesquisar... Depois de estudar as semelhanças e diferenças que existem entre as duas situações, poderá descrever os fatores que parecem explicar a presença do fenômeno numa situação e sua ausência na outra". Assim, por exemplo, pode-se estabelecer as "causas" de acidentes nas rodovias, comparando motoristas que foram acidentados com os que não foram e determinando quais os fatores presentes naqueles e que não existiam nestes: excesso de velocidade, alcoolismo, etc.

Finalmente, analisando a importância que pode ter o referido tipo de pesquisa descritiva, os autores dizem: "os estudos causais comparativos possuem certas limitações e geralmente não fornecem informação tão precisa e confiável como o que é possível obter através de estudos experimentais rigorosos. Em troca, proporcionam-nos instrumentos para abordar os problemas que não podem estudar-se em condições de experimento e oferecem-nos valiosos indícios sobre a natureza dos fenômenos"[34].

---

34. D.B. Van Dalen e W.J. Meyer, op. cit., p. 245 a 250.

Ainda, sob possíveis semelhanças entre a pesquisa experimental e certos tipos de pesquisa descritiva, convém não confundir a primeira com as "pesquisas de correlação". Estas utilizam técnicas para determinar até que ponto duas variáveis se relacionam entre si, por exemplo, Q.I. e rendimento em matemática. Neste caso, embora oferecendo valiosas indicações, através do coeficiente de correlação, do grau de relação que existe entre duas variáveis, não determina que esta relação seja de causalidade, diferente, portanto, da pesquisa experimental, cujo propósito é sempre a causalidade. E, para encontrá-la utiliza-se, neste caso, o *experimento*.

3. O experimento

O *experimento* se diferencia da *experiência* e da *observação*. Se, por exemplo, um professor tem sua atenção voltada naturalmente para um aluno que está tendo um procedimento peculiar em sala de aula, está tendo uma *experiência espontânea*. Se, de agora em diante, durante algum tempo, tem o propósito de "acompanhar" o aluno, prestando atenção no que ele faz, então, ao cumprir o propósito, tem uma *experiência intencional*. Mas, se esta for planejada, ou pelo menos houver o objetivo de se registrar, para estudo, as informações obtidas, então o procedimento é de *observação* (científica). Se quisesse fazer um *experimento*, o professor deveria de algum modo, mas planejadamente, interferir na *realidade* (variável dependente) para observar a *conduta* do aluno (variável dependente) ou interferir nesta (variável independente) para observar um determinado *resultado* (variável dependente).

O *experimento* é uma situação, criada em laboratório, com a finalidade de observar, sob controle, a relação que existe entre fenômenos. O termo *controle* serve para indicar os esforços feitos para se eliminar ou, pelo menos, reduzir ao mínimo possível os erros que possam surgir numa observação. Estes esforços são concretizados na forma de procedimentos, que visam *isolar* a observação, de fatores ou influências capazes de nela intervir, falseando-a. Num sentido mais amplo, chama-se também de experimento a situações criadas, mesmo fora de laboratório, mas onde são utilizadas técnicas rigorosas, com o objetivo de exercer controle sobre as variáveis que vão ser observadas.

Num experimento, a observação tem como pressuposto a *lei da variável única*, enunciada por Stuart Mill e que Best resume da seguinte maneira: "*Se duas situações são iguais sob todos os aspectos e um elemento é acrescentado a uma, mas não à outra, qualquer diferença, que resulte, é efeito da ação do elemento acrescentado. Ou, se duas situações são iguais sob todos os aspectos e um elemento é retirado de uma, mas não da outra, qualquer diferença, que resulte, pode ser atribuída ao elemento retirado*".[35] Imaginemos este exemplo: Se a classe A e a classe b de um determinado Colégio são iguais sob todos os aspectos (inclusive no método de ensino adotado e na média do rendimento escolar alcançada por seus alunos) e se for aplicado um novo método de ensino à classe A, continuando a classe B com o método anterior, e se, depois de algum tempo, o rendimento da classe A for maior (ou menor) do que a classe B, pode-se afirmar que este maior (ou menor) rendimento é efeito do *fator experimental*, isto é, do elemento que foi acrescentado (no exemplo, o novo método de ensino). E se o novo método de ensino for também aplicado à classe B (esta suposição é apenas para esclarecer o exemplo e não para indicar que em todo o experimento os grupos devam ser equiparados pela aplicação do mesmo fator experimental, o que, de fato, não acontece), ficando esta, agora, igual à classe A sob todos os aspectos (inclusive no método de ensino e na média do rendimento escolar de seus alunos), e se

---

35. Apud J.W. Best, op. cit., p. 109.

o método de ensino for retirado da classe A, mas não da classe B, e se o rendimento da classe A se tornar inferior (ou superior) ao da classe B, pode-se afirmar que esta diferença foi ocasionada pela ausência do *fator experimental*, isto é, do novo método de ensino.

Utiliza-se, num experimento, dois (ou mais) grupos: aquele onde se aplica ou se retira o *fator experimental* denomina-se "grupo experimental". Nos exemplos dados acima, a *classe A* funciona como grupo experimental. O outro se chama "grupo de controle" (nos exemplos dados acima é a *classe B*) e serve de comparação para o grupo experimental, aplicando-se nele um *fator de controle* ou, mais comumente, apenas não se aplicando nele o fator experimental. Num experimento pode haver mais de um grupo experimental e mais de um grupo de controle.

Dentro do contexto da pesquisa, o experimento é um meio que se utiliza com finalidade de verificar hipóteses. Por outro lado, foi dito também no capítulo II que a *lei* é uma *hipótese verificada*. Desta maneira, pode-se dizer que um experimento tem por objetivo verificar se uma lei existe ou não. As leis servem para afirmar relações constantes, existentes entre variáveis. E, sendo que estas características podem receber valores diferentes, como já foi explicado, então pode-se dizer que uma lei científica pretende afirmar duas coisas: a) a existência de certas características que se relacionam; b) a persistência desta relação, independentemente dos valores diversos que as variáveis podem assumir. Para isto, a lei se baseia em duas hipóteses, assim anunciadas por Bunge: I) – "*Dados dois objetos reais quaisquer, existe ao menos uma variável que não tem o mesmo valor para os dois*". Este enunciado move o cientista a buscar a diversidade, diante da aparente identidade das coisas; II) – "*Dados dois objetos reais quaisquer, há pelo menos uma variável cujo valor é comum a ambos*". Se todo objeto real fosse inteiramente diferente de qualquer outro objeto real, a ciência seria impossível e, além disto, o conceito de variável seria inútil, bastando, para identificar cada coisa, o nome que esta tivesse[36] (Lembramos ao leitor o que já foi dito no capítulo II, que a *coisa* se identifica melhor pela *definição* – isto é, pela apresentação de suas características – , do que pelo *termo*, vale dizer, pelo "nome" que serve para indicá-la).

Quando um arquiteto pretende construir uma casa, elabora, antes, um desenho da mesma, esboçando a disposição da obra que pretende edificar. Semelhantemente, pode-se falar em *planos de experimento* para indicar esboços que servem de guia para a realização do mesmo. Iremos ver, primeiramente, o *plano clássico do experimento* e, depois, algumas de suas variações.

PLANO CLÁSSICO DO EXPERIMENTO

A fim de explicar o plano clássico, imaginemos que, para determinada pesquisa, formulou-se o seguinte problema: "*que resultados produz, para os alunos do 2º grau de um determinado colégio, a aplicação de um novo método de ensino?*" Imaginemos, ainda, houvesse a intenção de saber se o *novo método é causa* destes resultados. Para verificar esta relação de causalidade, teríamos então que utilizar um *experimento*. O nosso interesse agora não é dizer como se faz a pesquisa, mas dar algumas indicações a respeito do experimento. E, para isto, vamos ainda supor que o "novo método de ensino" se refira à *mútua ajuda* dos alunos no processo de aprendizagem.

No problema formulado, o *campo de observação* é constituído: a) pelos alunos do 2º grau (população) de um determinado b) colégio (local) c) enquanto estão submetidos a novo método de ensino (circunstância). Este campo de observação pode ser "melhorado", do ponto de vista de

---

36. Mário Bunge, op. cit., p. 336.

referência empírica, se indicarmos exatamente de que *Colégio* e de que *método de ensino* se trata, mostrando também a forma observável na verificação dos *resultados*. Então, o problema da pesquisa pode ser reformulado da seguinte maneira: "*que rendimento escolar produz, aos alunos do 2º grau do Colégio O* (indicando-se o nome do Colégio), *a aplicação do método Z de ensino* (indicando-se *o novo método* de ensino pelo 'nome' ou, de alguma forma, que possa ser identificado pela observação)?"

Para este problema, poderíamos enunciar a seguinte hipótese, para ser verificada por meio do experimento: "*a aplicação do método Z de ensino produz melhor rendimento escolar para os alunos do 2º grau do Colégio O do que a aplicação do método W* (indicando-se por W o *método* que é adotado atualmente). Suponhamos que vamos utilizar o *plano clássico* para realizarmos o experimento e que se apresente da seguinte forma:

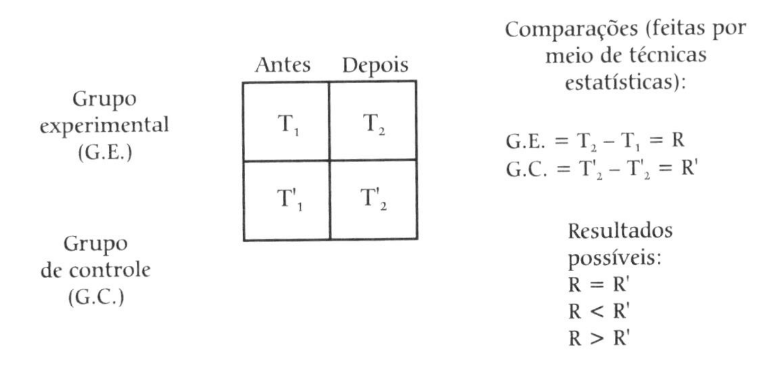

Para realizarmos o experimento, devemos selecionar *dois grupos* de alunos que pertençam ao 2º grau do Colégio O (chame-os de G.E. e de G.C.) e que sejam equivalentes com relação às características relevantes para a pesquisa. Esta equivalência é obtida procurando-se manter nos dois grupos as *mesmas variáveis relevantes* e tendo-se cuidado para que *não se torne presente*, num dos grupos, uma variável que não se encontra no outro grupo. Vamos supor, ainda, termos chegado à conclusão, por nossos estudos, de que as variáveis relevantes para a nossa pesquisa são: a) *com relação aos alunos:* nível intelectual, grau de aproveitamento escolar anterior, *status* socioeconômico e idade; b) *com relação aos professores:* competência na disciplina que leciona, capacidade de liderança entre os alunos, conhecimento teórico e experiência prática com o método Z); c) *com relação à sala de aula* (para aplicação do método Z): possibilidade de dispor as carteiras em círculos, possibilidade de serem utilizados determinados recursos audiovisuais, sala clara, silenciosa e arejada. O leitor já deve ter reparado que algumas variáveis apresentadas são, quanto ao nível de abstração, *gerais* e outras, *intermediárias*. Devem, portanto, para a pesquisa, ser transformadas em *empíricas ou indicadoras* (p. ex.: nível intelectual *dado por Q.I.*, grau de aproveitamento escolar anterior *apresentado pela média final que o aluno teve no semestre passado*, etc.) e devem estar presentes equivalentemente nos dois grupos. E os indivíduos, que constituirão cada um deles, devem ser selecionados por meio de técnicas especiais* a fim de ser mantida a equivalência.

As variáveis, cuja relação será observada no experimento, são as seguintes: a) *aplicação do método Z* (variável independente) e b) *rendimento escolar* dos alunos do 2º grau do Colégio X (variável dependente). Quanto ao nível de abstração, estas variáveis são *gerais*. Podemos transformá-las em *intermediárias*, dizendo: a) *trabalho em grupo, realizado segundo os planos contidos no método Z* (*aplicação*

---

* Veja, por ex., Selltiz, Jahoda, Deutsch e Cook, op. cit., p. 112.

do método Z que, em nossa suposição, feita mais acima, é para os alunos se ajudarem mutuamente no processo de aprendizagem), e b) *aproveitamento dos alunos, medido por meio de testes*. Finalmente, podemos converter estas variáveis em *indicadoras*, dizendo: a) *tra*balho em grupo segundo as características a, b, c e *d* (apresentam-se as características básicas, necessárias e suficientes para identificar o trabalho em grupo) e b) *aproveitamento dos alunos, medido, no experimento, por meio da comparação de um pós-teste com um pré-teste*. Como se viu, no enunciado as variáveis podem ser *gerais*, contanto que se saiba qual a *dimensão empírica*, que realmente possuem, para se poder trabalhar com elas no experimento.

Tendo-se equiparado os dois grupos, quanto às variáveis relevantes e, tendo os mesmos, desta maneira, se tornado equivalentes, então, aplica-se o *fator experimental* (o método Z) ao G.E., enquanto que o G.C. terá a "ausência" do mesmo fator. É necessário que, durante todo o experimento, permaneça a equivalência dos grupos com relação a todas variáveis relevantes, menos quanto ao fator experimental, que foi aplicado ao G.E. mas não ao G.C.

O "antes", que se encontra em cima da primeira casela do *plano clássico do experimento*, indica que, *antes* de ser aplicado o fator experimental ao G.E. (e, conforme o caso, antes também de ser aplicado o fator de controle ao G.C.), mede-se o rendimento escolar, tanto do G.E. quanto do G.C., usando-se, possivelmente, testes iguais para os dois grupos. É depois disto que se aplica ao G.E. o fator experimental, do modo e pelo tempo que a teoria do método Z indica ser necessário para se obter determinado resultado. Cumprido o que foi prescrito, aplica-se novamente ("depois") aos dois grupos um teste para se verificar o rendimento final. O *teste inicial*, de entrada, chama-se também *pré-teste* e o resultado nele alcançado aparece, no plano clássico do experimento, indicado por T1 (para significar a média das notas que nele teve o G.E.) e por T'_1 (para a média das notas do G.C.). O *teste final*, de saída, chama-se também *pós-teste* e aparece, no plano clássico de experimento, como T_2 (para indicar a média das notas nele obtida pelo G.E.) e como T'_2 (para a média das notas do G.C.). Agora compara-se T_2 com T_1. O resultado apresenta-se por R. Compara-se também T'_2 e T'_1. O resultado é representado por R'. Agora, compara-se R com R' e três situações são possíveis: a) $R = R'$; b) $R < R'$; c) $R > R'$. Se R for *igual* ou *menor* do que R', então não se pode afirmar que a *variável independente ocasiona a variável dependente*, isto é, não foi verificado que o método Z produz melhor rendimento escolar para os alunos do 2º grau do Colégio O do que o método W; em outras palavras, não foi verificado que o novo método de ensino produz resultados mais satisfatórios do que o que já está sendo aplicado. Se R for *significativamente maior* do que R', pode-se então afirmar que foi *verificada relação de causalidade entre a variável independente e a dependente*, isto é, que o método Z é "causa" de maior rendimento escolar para os alunos que constituem a população da pesquisa que foi realizada. Este *significativamente maior* bem como a comparação entre T_2 e T_1, T'_2 e T'_1 e R e R' são feitos pela aplicação de técnicas estatísticas, cuja escolha e utilização dependem das particularidades de cada projeto de experimento.

Pelo que foi dito, conclui-se que o plano clássico de experimento permite-nos, sob controle, verificar se a aplicação do fator experimental *afeta o grupo experimental* e *como o afeta*. Sumariamente, o plano clássico segue o seguinte processo:

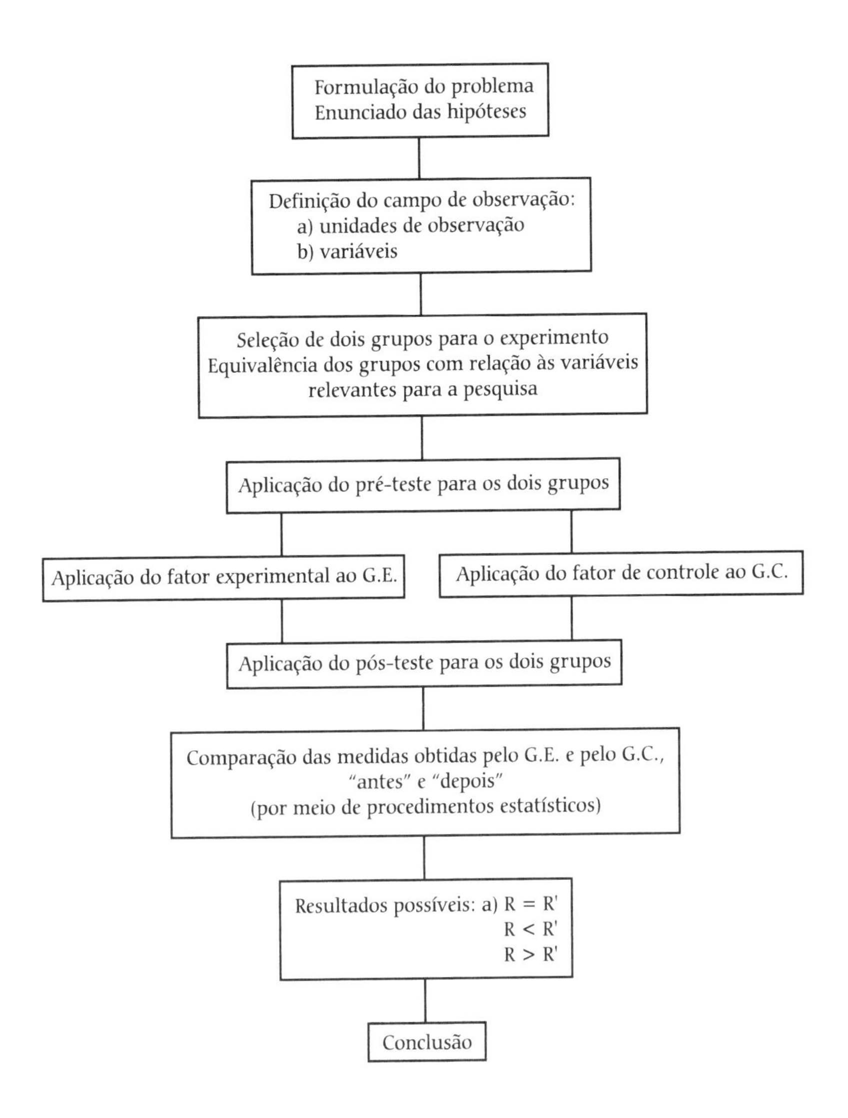

VARIAÇÕES DO PLANO CLÁSSICO

a) *Plano com grupo de controle, mas onde se utiliza apenas o pós-teste* – Imaginemos que numa determinada Escola existam, na mesma série, duas classes, consideradas equivalentes, a classe A e a classe B. No começo do ano foi aplicado um novo método de ensino (fator experimental) à classe A mas não à classe B. No fim do ano, deseja-se saber se o novo método produz melhor aprendizagem do que o antigo. Pode-se, neste caso, comparar as duas classes através da aplicação de um teste, sendo este considerado, então, como um *pós-teste*. Se a média obtida pela classe A (R) for significativamente maior do que a média da classe B (R′) seremos levados a considerar que o novo método de ensino foi responsável pela diferença. Entretanto, como não foi aplicado um pré-teste, não podemos saber com certeza se a diferença *foi realmente ocasionada* pelo novo método. Podia ser, por exemplo, que desde o começo do ano o rendimento da classe A (que não foi medido no pré-teste) já era superior ao da classe B. Além disto, a *suposição de que os grupos são equivalentes* é um desvio das exigências do *plano*, mas é muitas vezes uma concessão que se faz às possibilidades e limitações da realidade. Se há o intuito de se aplicar o fator experimental e de se medir depois os resultados, deve-se procurar, desde o começo, uma real equivalência dos grupos, como já foi explicado acima. O *plano com grupo de controle*, mas onde se utiliza *apenas o pós-teste*, é o seguinte:

	Antes	Depois
Grupo experimental	não existe	T_2
Grupo de controle	não existe	T'_2

Comparação (feita por meio de técnicas estatísticas):
$T_2 - T'_2$

Resultados possíveis:
$T_2 = T'_2$
$T_2 < T'_2$
$T_2 > T'_2$

Se T_2 for *significativamente maior* do que T'_2 então pode-se supor que o fator experimental tem influência sobre o G.E. nas variáveis que são observadas. Se for *igual* ou *menor* não se pode afirmar a influência. Este plano é utilizado frequentemente diante de uma situação em que o fator experimental já foi aplicado e supomos que dois grupos (G.E. e G.C.) são equivalentes, menos com relação à variável independente. No entanto, como já foi dito, por não possuirmos o "antes", não podemos afirmar a "verdadeira" influência do fator experimental.

b) *Grupo único comparado "antes" e "depois"* – Às vezes não podemos encontrar um grupo de controle para realizarmos um experimento. Neste caso, contamos apenas com um grupo experimental – grupo único. Podemos, por exemplo, querer saber se a aplicação de um determinado método em sala de aula aumenta a participação dos alunos. Neste caso, procura-se um teste que seja capaz de medir a participação dos alunos "antes" da aplicação do método, e, logo, este é posto em prática. Então, aplica-se novamente um teste para medir a participação. Há, portanto, um *pré-teste* "antes" da aplicação do fator experimental e um *pós-teste*, "depois". Este plano permite obter informação da influência que o fator experimental exerce sobre os indivíduos e certas modificações que produz, mas não se pode estar certo de que isto foi, de fato, ocasionado pelo fator experimental, pois os resultados podem ter tido outras influências, como a história dos indivíduos, sua maturidade, etc., impossíveis de serem controladas por causa da ausência do grupo de controle. O plano utilizado é o seguinte:

	Antes	Depois
Grupo experimental	T_1	T_2
Grupo de controle	não existe	não existe

Comparação (feita por meio de técnicas estatísticas):
G.E.: $T_2 - T_1$

Resultados possíveis:
$T_2 = T_1$
$T_2 < T_1$
$T_2 > T_1$

Se T_2 é *significativamente maior* do que T_1 podemos supor que o novo método tenha influência na maior participação dos alunos. Mas, se T_2 for *igual* ou *menor* do que T_1, então não podemos supor que o novo método tenha influência no aumento da participação.

c) *Grupo único somente com pós-teste* – É o estudo de características relevantes, cujas informações foram obtidas por um *pós-teste* apenas, "depois" da aplicação de um *fator experimental*. Pode-se, por exemplo, aplicar um determinado método de ensino numa classe e, depois, indagar aos alunos e professores o que pensam do mesmo. Apuradas as respostas, podemos relacioná-las com certas características, sabendo, por exemplo, se o método agradou mais aos indivíduos do sexo feminino ou masculino, quem se considera mais beneficiado: os mais velhos ou os mais novos, etc. Este plano permite *pouco controle* e os dados reunidos são de *valor limitado* por não se possuir base de comparação: nem em outro grupo (como seria o G.C.) e nem "antes" e "depois" da aplicação do fator. O plano é o seguinte:

Depois
T

Uma das diferenças mais fundamentais entre a pesquisa descritiva e a experimental é que esta utiliza o experimento como meio de observar a relação entre fenômenos. Numa aproximação, a pesquisa descritiva, como o nome está dizendo, *descreve* os fenômenos, enquanto que a pesquisa experimental *explica-os*. As duas são muito importantes, cada uma na missão que deve cumprir, para ajudar o homem a descobrir cada vez mais e compreender melhor o mundo em que vivemos, permitindo-lhe prever acontecimentos e controlar, para o seu bem, a realidade que o cerca.

CAPÍTULO VI

O problema da pesquisa

1. Noções preliminares

Toda pesquisa científica começa pela *formulação de um problema* e tem por objetivo buscar a *solução* do mesmo. O *problema da pesquisa* costuma ser apresentado geralmente na forma de uma proposição interrogativa, por exemplo: "A aplicação de um novo método de ensino aos alunos do 2º grau do Colégio X produzirá aumento de rendimento escolar?" Ou, então, pode aparecer sem forma interrogativa direta, mas como expressão concreta e clara da mesma, p. ex.: "Deseja saber se a aplicação de um novo método de ensino traz aumento de rendimento escolar aos alunos do 2º grau do Colégio X".

Asti Vera diz que "formalmente um problema é um enunciado ou uma fórmula. Do ponto de vista semântico, é uma dificuldade, ainda sem solução, que é mister determinar com precisão para intentar, em seguida, seu exame, avaliação, crítica e solução"[37]. No sentido mais amplo, o problema é uma questão proposta para ser discutida e resolvida pelas regras da lógica e de outros meios de que se dispõe. Carosi diz que "uma questão é um enunciado acerca de um dado objeto, proposto de maneira interrogativa, de modo que se possa responder por dois termos de uma

---

37. Armando Asti Vera, *Metodologia da Pesquisa*, p. 94.

alternativa, contraditoriamente opostos entre si"[38]. Se, por exemplo, trabalhando num laboratório, um cientista pergunta: "A droga X cura a doença Y?" está propondo uma questão acerca da droga (ou da doença, conforme o contexto). A questão está enunciada na forma de uma proposição, interrogativa e *lógica* (não estamos interessados agora nos seus aspectos propriamente gramaticais), constituída por dois termos: S (sujeito: a droga X) e P (atributo do predicado: a doença Y), ligados pelo predicado (cura: é curativa). Para responder a esta questão, são possíveis duas hipóteses alternativas: a) *a droga X cura a doença Y* (chamemo-la de proposição A) e b) *a droga X não cura a doença Y* (chamemo-la de proposição O). As proposições A e O são contraditórias (usamos o termo no sentido da lógica e não no vulgar), pois uma é positiva e outra negativa, recusando uma o que é afirmado pela anterior. Ambas não podem ser ao mesmo tempo verdadeiras e nem ao mesmo tempo falsas: se uma é verdadeira, a outra é falsa*. Desta maneira, se for comprovada a hipótese que *a droga X cura a doença Y* será automaticamente rejeitada a outra hipótese, de que *a droga X não cura a doença Y* e vice-versa. Sabendo, portanto, disto e também que uma hipótese é *solução* (provisória) que se dá para um problema, ninguém pode evidentemente colocar, ao mesmo tempo, duas proposições contraditórias como hipóteses para o problema de uma pesquisa. De fato, como uma será a solução certa e outra inevitavelmente a solução errada, quem colocasse as duas estaria indicando para a sua pesquisa uma solução que não convém (a errada). Assim, é imprescindível que seja escolhida *apenas uma* – a que pa-

---

38. Paulo Carosi, *Curso de Filosofia* (vol. I), p. 375.

* Discute-se sobre a validade de afirmar que uma hipótese é "verdadeira" (ou "falsa"). Alguns dizem que estas categorias são filosóficas, inadequadas para o campo científico. Então, será melhor talvez falar-se em hipóteses que foram *verificadas*, tendo sido *comprovadas* ou não.

rece mais conveniente para a pesquisa – quando as proposições são contraditórias. Caso não sejam, então não se estabelece quantas devam ser colocadas.

Para resolver a dificuldade, formulada no problema – p. ex.: a droga X cura a doença Y? – o pesquisador não pode apenas adivinhar, fazer suposições gratuitas ou emitir opiniões superficiais e inconsistentes, mas deve realizar um processo pelo qual, ao mesmo tempo, se busca, examina e prova a solução e ao qual se denomina *pesquisa científica*.

2. O tema da pesquisa

No sentido comum, *tema* é um assunto que se deseja provar ou desenvolver. Do ponto de vista da música, o *tema* constitui o motivo, o ponto de partida de um trecho musical. Para isto, deve compreender elementos bem caracterizados, a fim de fornecer matéria para o desenvolvimento da composição e apresentar unidade e coerência nos planos dinâmico, melódico, rítmico e harmônico. No estudo que vamos fazer, não interessa somente saber que o *tema da pesquisa* indica um assunto (aparecendo às vezes de modo vago, geral, indefinido), mas o importante é a *elaboração* que se realiza, para que ele se torne "concreto", determinado, preciso, de forma bem caracterizada e com limites bem definidos.

Se alguém dissesse, por exemplo, "desejo fazer uma pesquisa sobre delinquência juvenil", estaria certamente apresentando um assunto, mas não estaria ainda definindo, com precisão, um tema de pesquisa. Para termos os conhecimentos necessários, a fim de transformar um assunto geral (ainda não convenientemente especificado) num tema de pesquisa, é necessário observarmos a realidade, de maneira cuidadosa e persistente, no âmbito do assunto que pretendemos pesquisar. Concomitantemente, devemos consultar livros, obras especializadas, periódicos, pessoas entendidas ou interessadas no assunto, etc. Talvez uma boa orientação seja a seguinte: tanto melhor podemos definir o tema, quanto mais aptos estivermos para descrever, com acerto, o seu *campo de observação*, com as respectivas *unidades de observação e variáveis*.

Se alguém nos diz que vai fazer uma pesquisa sobre "delinquentes juvenis", com esta afirmação, está indicando apenas, de modo ainda vago e geral, um dos elementos do campo de observação: a *população*. Se, além disto, acrescenta que seu interesse é por "crimes", cometidos pelos referidos delinquentes, está nos dando, então, uma das *variáveis* a serem observadas. Se nos afirma, ainda mais, que deseja saber se certos crimes, cometidos por delinquentes juvenis, são ocasionados pelo efeito do "uso de tóxicos", expressa-nos, então, a intenção que tem de *relacionar* duas variáveis: se o uso de tóxicos (variável independente) ocasiona crimes (variável dependente), cometidos por delinquentes juvenis.

Precisamos ter agora uma visão de conjunto do *campo de observação* (e não apenas de alguns de seus elementos como acabamos de ver acima) procurando, ao mesmo tempo, caracterizá-los. Para isto é necessário que se especifique: a) a *população*, isto é, *a quem observar*, indicando idade, sexo, tipo de delinquência e de toxicomania que interessam à pesquisa, etc. (p. ex.: *jovens de 15 anos ou mais de 21 anos ou menos, de ambos os sexos, viciados em haxixe, que cometeram crime de homicídio*)*; b) *local*, isto é, *onde* a população será observada (p. ex.: *na cidade de São Paulo*) e c) *circunstâncias*, isto é, *quando* a população será observada (p. ex.: *tendo agido sob o efeito de tóxico*).

---

* Falando a respeito de haxixe, Vallejo-Nagera diz que a sua gravidade é por sua associação com atos criminosos (V. *Introdução à Psiquiatria*, p. 269).

É preciso agora *definir* as unidades de observação e as variáveis, consideradas relevantes para a pesquisa. Desta maneira: A) *Unidades de observação:* a) quanto à *população* (p. ex.: jovens delinquentes distribuídos de acordo com a *faixa etária*, *sexo*, *tipo de delinquência*, etc.); b) quanto ao *local* (*casas de detenção*, *reformatórios* e *similares* da cidade de São Paulo que abrigam delinquentes juvenis e toxicômanos); c) quanto à *circunstância* (p. ex.: sob os *diversos efeitos de haxixe*). B) *Variáveis* (segundo o nível de abstração): a) *variáveis gerais*: "uso de tóxico" e "comportamento criminoso"; b) *variáveis intermediárias*: "tomar haxixe" e "cometer homicídio"; c) *variáveis empíricas*: "mastigar ou fumar haxixe" e "usar as próprias mãos ou utilizar outros meios ou instrumentos para tirar a vida de uma pessoa" (certamente o leitor está lembrado que *geral*, *intermediário* e *empírico* são níveis diferentes de abstração da *mesma* variável).

Assim, definidos todos os elementos do *campo de observação*, com suas respectivas *unidades de observação* e *variáveis* relevantes para a pesquisa, podemos, então, enunciar o seu tema: *Influência de tóxicos em crimes de homicídio cometidos por delinquentes juvenis na cidade de São Paulo*. Alguém poderá supor que, para enunciado tão simples, não valeu a pena tanto trabalho para a sua elaboração. De fato não é assim, pois agora sabemos *o que significa cada um dos termos* que compõem o enunciado e qual a sua *compreensão* e *extensão*. Desta maneira, estamos preparados tanto para utilizá-los apropriadamente, quando tivermos de formular o problema, como para dar a definição de cada um, conforme o interesse e no lugar que a nossa pesquisa exigir. Numa palavra: o esforço de elaboração de um tema de pesquisa não tem como resultado final apenas o enunciado formal de uma proposição. Mas é a oportunidade de nos familiarizarmos com os termos, "treinando" para conceituá-los de forma adequada e precisa, habilitando-nos a utilizá-los, de modo conveniente, no contexto pedido pela pesquisa.

De qualquer maneira, um enunciado bem-feito de um tema de pesquisa é ao mesmo tempo ponto de partida (para a pesquisa) e de chegada (da elaboração que se fez). Pode ser que no começo o indivíduo tenha apenas uma ideia, uma intuição, sobre a pesquisa que deseja fazer, sentindo até dificuldade de expressar com palavras o que pensa. Neste momento, pode dizer, por exemplo, "desejo fazer uma pesquisa sobre *crimes* cometidos por *menores* mas ainda não sei *exatamente* o que pretendo". Depois de algum tempo de observação, estudo e reflexão, pode encontrar termos mais adequados para indicar seu pensamento: "a pesquisa que desejo fazer é sobre *delinquência juvenil* (e não mais "sobre *crimes* e *menores*"). Entretanto, para tornar a pesquisa possível, o indivíduo deve ainda determinar, progressivamente, os aspectos mais concretos que lhe interessam, no estudo da delinquência juvenil, e a relação deste aspecto com outros e outras situações. É, como já foi dito, o trabalho de *definir* o campo de observação, a unidade de observação e as variáveis. Assim, o tema da pesquisa, ao ser finalmente enunciado, deve indicar, não apenas o assunto que se pretende tratar, mas o seu campo de observação e limites, mostrando as variáveis relevantes que serão utilizadas e o tipo de relação que se estabelece entre elas. O trabalho de definir adequadamente o tema perdura durante toda a pesquisa, sendo frequentemente revisto, e o seu enunciado final servirá, provavelmente, como título do relatório da referida pesquisa, apresentando de forma sintética, resumida, mas abrangente e compreensiva, todo o assunto que nela será tratado.

O interesse por um assunto de pesquisa pode ser motivado por diversas razões: curiosidade intelectual, desejo de ampliar o conhecimento científico, tentativa de resolver uma questão de ordem prática, ganho financeiro, etc. Um cientista, por exemplo, pode estar interessado em verificar se *a droga X cura a doença Y*, a fim de fazer uma descoberta que lhe dê renome ou porque tem em mente abrir um laboratório, onde possa fabricar o remédio para vendê-lo ou, ainda, porque, sendo um estudioso de bioquímica, está interessado em ampliar os conhecimentos científicos sobre os efeitos da *droga X*. Mas pode ser também que ele esteja procurando alcançar simultaneamente dois ou todos os três objetivos: ter renome, ganhar dinheiro e testar os efeitos da droga X. Os motivos, portanto, podem ser variados. Entretanto, quaisquer que sejam, para que a pesquisa tenha valor científico, é necessário ser fundamentada e realizada através de método próprio e técnicas específicas.

A *fonte*, isto é, a situação que deu origem à primeira intuição ou ideia sobre o assunto, pode ser também as mais diversas: a *observação* da realidade empírica e dos fatos que acontecem em torno de nós, *experiências pessoais* no setor profissional ou em outros, específicos do saber humano, sugestões aparecidas em cursos ou em outras *reuniões* de estudo ou não, *leitura* de livros, revistas especializadas, etc. Não só a "ideia" pode surgir em situações muito diversas como também em qualquer momento, em qualquer lugar, quando menos se espera, semelhante a um raio de luz ou semente que pede cultivo para produzir frutos. Entretanto, o simples fato de se ter uma intuição não é suficiente para se começar imediatamente uma pesquisa. Mas é necessário, como já foi dito, enunciar o tema, e, depois disto, formular o problema, levantar hipóteses, e tudo o mais, como pede o método.

3. Formulação do problema

Krick diz que "o tempo empregado na formulação de um problema é, no mínimo, um tão vantajoso investimento como aquele de todas as demais fases necessárias à sua solução"[39]. Lembrar isto é muito importante. Embora

---

39. Edward V. Krick, *Métodos e Sistema* (vol. I), p. 22.

a *formulação do problema* possa parecer, às vezes, tarefa cansativa e monótona e exista quem de tal maneira nela se emaranha, que não consegue passar adiante, é, no entanto, exigência imprescindível e condição fundamental para que possam surgir as outras etapas do método. Sem uma formulação bem-feita do problema, não se sabe que solução se procura e, consequentemente, é impossível encontrá-la.

Formular o problema consiste em dizer, de maneira explícita, clara, compreensível e operacional, qual a dificuldade, com a qual nos defrontamos e que pretendemos resolver, limitando o seu campo e apresentando suas características. Desta forma, o objetivo da formulação do problema da pesquisa é torná-lo individualizado, específico, inconfundível. Se alguém diz que o tema de sua pesquisa é "Influência de tóxicos em crimes de homicídios, cometidos por delinquentes juvenis na cidade de São Paulo", possivelmente o interesse está em resolver problemas que poderiam ser formulados, por exemplo, da seguinte maneira: *A maior incidência de homicídios, cometidos por delinquentes juvenis na cidade de São Paulo, se encontra entre* os que são viciados em tóxicos? (note-se que não é necessário colocar na indagação do problema: "...se encontra *ou não*, entre os que são viciados..." pois a resposta "sim" ou "não" pertence à solução), ou *até que ponto os homicídios cometidos por delinquentes juvenis, toxicômanos, na cidade de São Paulo, são ocasionados como efeito de tóxicos*, e outros semelhantes?

Além das características de ser explícita, clara, compreensiva e operacional, a formulação do problema deve possuir ainda as qualidades seguintes: a) *enunciar uma questão, cujo melhor modo de solução seja uma pesquisa*. Assim, por exemplo, esta formulação *de quantos dias consta o ano civil?* não é "boa" para uma pesquisa. De fato, a resposta é conhecida. E, se alguém não a soubesse, poderia facilmente consultar um calendário. Da mesma forma não há motivo para se repetir uma pesquisa que já foi feita se a única razão é conhecer o resultado já alcançado. Pode haver, no entanto, outros motivos que justifiquem a repetição, como a dúvida sobre a validade ou adequação dos procedimentos empregados, a suspeita de algo não ter sido alcançado pelo processo, o desejo de se confirmar que tais procedimentos levam a tais fins, a aprendizagem no sentido de se alcançar um determinado resultado através de tais meios, etc.; b) *apresentar uma questão que possa ser resolvida por meio de processos científicos*. Assim, não servem as seguintes formulações: *quais as cores das asas dos anjos?* ou *a alma humana é imortal?* porque a ciência não tem meios de observar *anjos* (asas de anjos) e nem *alma*. Ainda sob este aspecto não serve a seguinte formulação: *no ano de 2001 haverá o mesmo índice de audiência aos programas de TV que houve em 1977?*, pois a ciência não possui meios capazes de medir a quantidade de telespectadores que haverá no ano 2001 (poderá fazer previsões, mas que não passam de meras hipóteses, até serem verificadas); c) *ser factível, tanto com relação à competência do pesquisador, quanto à disponibilidade de recursos*. Assim, por exemplo, uma pesquisa que poderia ser feita com os recursos técnicos e financeiros de uma grande universidade não pode ser realizada apenas com os parcos recursos de um estudante que, para efetivá-la, conta apenas com o que possui. Ou, então, um assunto complexo, cuja utilização para a pesquisa exige conhecimento e capacidade de um perito, não pode servir para um principiante.

Para concluir este capítulo sobre a formulação do problema da pesquisa, apresentamos os critérios estabelecidos por Best, que tanto poderão orientar o leitor nas suas *formulações* como também poderão, talvez, servir de indicação para avaliar até que ponto foram bem-feitas: a) *este problema pode realmente ser resolvido pelo processo de pesquisa científica?* b) *o problema é suficientemente relevante a ponto de justificar que a pesquisa seja feita* (se não é tão relevante, existe, com certeza, outros problemas mais importantes que estão esperando pesquisa para serem resolvidos)? c) *trata-se realmente de um problema original?* d) *a pesquisa é factível?* e) *ainda que seja "bom", o problema é adequado para mim?* f) *pode-se chegar a uma conclusão valiosa?* g) *tenho a necessária competência para planejar e executar um estudo deste tipo?* h) *os dados, que a pesquisa exige, podem realmente ser obtidos?* i) *há recursos financeiros disponíveis para a realização da pesquisa?* j) *terei tempo de terminar o projeto?* l) *serei persistente*[40]?

Finalmente, convém o leitor estar atento para o seguinte: quase o mesmo trabalho que se realiza para obter elementos a fim de *enunciar o tema* serve para a *formulação do problema*. Podemos, no entanto, considerar que o tema é uma proposição mais abrangente e a formulação do problema é mais específica; em outras palavras, o primeiro, estabelecendo uma relação entre variáveis, de modo geral, não indica *exatamente* qual a dificuldade que se pretende resolver: esta se encontra definida na indagação do problema.

---

40. J.W. Best, op. cit., p. 36.

CAPÍTULO VII

O enunciado das hipóteses

1. Noções preliminares

Chama-se de "enunciado de hipóteses" a fase do método de pesquisa que vem depois da *formulação do problema*. Sob certo aspecto, podemos afirmar que toda pesquisa científica consiste apenas em *enunciar* e *verificar hipóteses*.

Hipótese é uma suposição que se faz na tentativa de explicar o que se desconhece. Esta *suposição* tem por característica o fato de ser *provisória*, devendo, portanto, ser testada para se verificar sua validade. Trata-se, então, de se *antecipar* um conhecimento, na expectativa de ser comprovado para poder ser admitido. Diz O'Neil: "como as hipóteses são conjeturas feitas para explicar algum conjunto de dados observados, podemos dizer que servem para preencher lacunas que ficam em nosso conhecimento pela observação"[41]. Na verdade, as hipóteses servem para preencher "lacunas de conhecimento". Entretanto, pelo menos no que se refere às hipóteses das pesquisas científicas, parece inadequado dizer que são "conjeturas". Esta palavra, no sentido comum, significa uma "opinião com fundamento incerto". Ora, a hipótese da pesquisa é uma *suposição* objetiva e não uma mera "opinião". Além disto, precisa ter bases sólidas, assentadas e garantidas

---

41. V.M. O'Neil, *Introducción al método*, p. 124.

por "boas" Teorias e por matérias-primas consistentes da realidade observável e, portanto, não pode ter "fundamento incerto".

Em nossa vida diária, costumamos utilizar hipóteses para suprir "lacunas do conhecimento". Mesmo neste caso, não se pode dizer que sejam meras "conjeturas", pois sempre buscamos alguma base lógica ou de observação para enunciá-las. Para exemplificar esta utilização na vida quotidiana, imaginemos a situação de alguém que deseje falar urgentemente ao telefone e constate que não está funcionando. Há, então, uma "lacuna de conhecimento": *não se sabe por que o telefone não funciona*. Esta dificuldade, assim confirmada, faz surgir um *problema* que precisa ser resolvido: "o que terá este telefone para não funcionar?" Imediatamente aparece uma série de *hipóteses*, todas como tentativas de solucionar o problema: a) talvez tenha havido esquecimento de pagar a conta e a Telefônica tenha desligado o aparelho; b) pode ser que, na rua, o fio de ligação esteja cortado; c) pode ser que o aparelho esteja com algum defeito, etc. Note-se que, ao levantar as hipóteses *a*, *b* e *c* o indivíduo ainda não sabe qual delas é a "verdadeira" para resolver o problema. Vai, então, "tomar providências", isto é, obter informações, orientando-se pelas próprias hipóteses para saber em qual delas está a solução. Para isto: A) indaga se as contas do mês foram pagas à Telefônica e recebe a resposta: foram; B) manda ver se os fios de ligação estão cortados: não estão; C) manda chamar um técnico que examina o aparelho e verifica: está com defeito. Esta última é, então, a *hipótese comprovada*, que pode ser *aceita*, enquanto que as outras devem ser *rejeitadas*. Nela, portanto, se encontra a solução do problema.

2. A hipótese: guia para a pesquisa

No exemplo do telefone, que acabamos de apresentar, os procedimentos indicados pelas letras *A*, *B* e *C* foram orientados respectivamente pelas hipóteses *a*, *b* e *c*, que serviram, não apenas para dar *explicação provisória ao que se desconhecia*, mas também funcionaram como setas *indicadoras de um caminho a seguir*: i. é, guias para os procedimentos em busca da "verdadeira" solução a ser descoberta. Assim, quando se enunciam hipóteses para uma pesquisa, deve-se ter diante dos olhos esta dupla função que ela desempenha: *dar explicações provisórias* e ao mesmo tempo *servir de guia* na busca de informações para verificar a validade destas explicações.

O enunciado das hipóteses, para ser bem-feito, depende da iniciativa e originalidade do pesquisador: cada um escolhe a que julga mais adequada para solucionar o seu problema de pesquisa. Ninguém é obrigado a justificar por que fez tal opção e não outra: o enunciado se apresenta como expressão da livre escolha, da intuição, do bom senso, da experiência e da competência de cada um. Mas isto não significa que deva ser feito de modo confuso e desordenado. Costuma-se indicar alguns *critérios*, que surgem como balizas demarcando um campo, dentro do qual as hipóteses podem ser enunciadas com toda a liberdade. No entanto, não se pode ir além das balizas, pois a ultrapassagem é sinal da formulação estar defeituosa e, por isso, ser inválida. Respeitar a demarcação é, portanto, condição para garantir o valor da hipótese. Como *critérios* apresentados, geralmente pede-se que a hipótese seja: a) plausível; b) consistente; c) específica; d) verificável; e) clara; f) simples; g) econômica; h) explicativa. Todas estas características devem se encontrar na formulação de uma hipótese para ser considerada válida.

Vejamos, agora, o que significam estes critérios. E, para melhor explicá-los, iremos fazer referência ao exemplo que segue mais abaixo. Antes, porém, torna-se necessário um ligeiro esclarecimento: na orientação não diretiva, chama-se de "resposta" ao procedimento verbal, mímico ou gestual do terapeuta como reação ao que é manifestado pelo cliente. Tanto na situação de Aconselhamento, específico do Orientador Educacional, como na de Psicoterapia, específico do Psicólogo (que também pode fazer Aconselhamento) são utilizados, de modo geral, os mesmos tipos de *respostas*.

Como professor de um curso de Formação de Psicólogos e, ao mesmo tempo, de outro, para formar Orientadores Educacionais, fizemos um exercício para "saber, de modo simples, até que ponto um grupo pode aceitar as mesmas *respostas* dadas por outro". Os alunos de Orientação Educacional constituíram o Grupo I e os de Formação de Psicólogo eram integrantes do Grupo II. Notem que não se tratava de grupo experimental e de grupo de controle, uma vez que os dois grupos não eram equivalentes sob todos os aspectos. Era, antes, um *grupo único*, onde foi aplicado um fator experimental (o exercício dado) a fim de se observarem as *respostas* e compararem determinadas variáveis. Para o trabalho que tentamos fazer com os grupos, podemos ter o seguinte problema formulado da seguinte maneira: "existe diferença significativa entre as *respostas* dadas por alunos de O.E. e por alunos de F.P., quando se encontram diante dos mesmos casos, apresentados pelos mesmos clientes?"*

Vamos, agora, descrever os *critérios*, indicando, para cada um deles, um exemplo de hipótese mal enunciada. E só ao final apresentaremos à crítica do leitor as hipóteses, que nos parece cumprir as exigências dos critérios:

a) *a hipótese deve ser plausível*, isto é, *deve indicar uma situação possível de ser admitida, de ser aceita*. Assim, não serve o seguinte enunciado: "existe uma diferença total:

---

* Veja Franz Victor Rudio, *Orientação não-diretiva*, p. 95s.

os alunos de F.P. apresentam respostas adequadas e corretas e os alunos de O.E. apresentam respostas inadequadas e incorretas". De fato, não é admissível que, tendo decorrido o mesmo tempo de estudo, relativo ao mesmo conteúdo, houvesse tal diferença entre os dois grupos;

b) *a consistência indica que o enunciado não está em contradição nem com a Teoria e nem com o conhecimento científico mais amplo, bem como que não existe contradição dentro do próprio enunciado*. Assim, não serve esta formulação: "as *respostas* dos alunos de O.E. e dos alunos de F.P. são todas incorretas e inadequadas, pois não se pode saber quando há respostas corretas em Aconselhamento e Psicoterapia". De fato, a inconsistência aparece sob dois aspectos: I) no próprio enunciado, com relação a si mesmo: se não se pode saber quando as respostas são adequadas e corretas, como se pode afirmar que as respostas são inadequadas e incorretas?; II) com relação à própria Teoria que, embora colocando limites na aprendizagem que se possa ter, procura ensinar e treinar os alunos para darem respostas corretas e inadequadas; III) com relação ao conhecimento científico mais amplo ao ensinar que se pode fazer aprendizagem, tanto de relacionamento humano como, particularmente, de atividades psicoterápicas;

c) o enunciado deve ser *especificado, dando as características para identificar o que deve ser observado*. Assim, não serve esta formulação: "em qualquer caso ou em qualquer situação as respostas dadas pelos alunos de F.P. são sempre superiores às dadas pelos alunos de O.E.". De fato, é impossível observar *qualquer caso, qualquer situação* e *são sempre superiores*. Estas expressões devem ser "traduzidas" em termos de referência empírica para indicar o que deve ser observado na realidade;

d) a hipótese deve ser *verificável pelos processos científicos, atualmente empregados*. Assim, não serve esta formulação: "não existe diferença significativa entre os alunos de O.E. e de F.P. nas respostas dadas, sob a perspectiva da reação imediata que tiveram na profundidade do inconsciente". De fato, não se pode saber, por processos científicos atuais, qual a *reação imediata* que alguém possui na *profundidade do inconsciente;*

e) a *clareza refere-se ao modo de se fazer o enunciado, isto é, que sejam constituídos por termos que ajudem realmente a compreender o que se pretende afirmar e indiquem, de modo denotativo, os fenômenos a que se referem.* Assim, não serve a seguinte formulação: "o ideal dos alunos de F.P. e de O.E. transcendendo as incompatibilidades das respostas, que aparentemente possam existir, garantem o mesmo nível de significação, equiparando-as na essencialidade". De fato, o enunciado está confuso, não se compreendendo exatamente o que se pretende afirmar. Além disto, possui uma série de termos que não convêm à hipótese, por não terem referência empírica: *ideal, transcendendo, incompatibilidade, aparentemente, nível de significação, essencialidade;*

f) para ser *simples, o enunciado deve ter todos os termos e somente os termos que são necessários à compreensão.* Assim, não serve a seguinte formulação: "com relação ao problema dado, podemos levantar a seguinte hipótese: não existe diferença entre as belíssimas respostas dadas pelos esforçados alunos de O.E. e as dos inteligentes alunos de F.P.". De fato, o enunciado deve possuir uma linguagem substantiva. Assim, não tem sentido utilizar palavras com a finalidade de embelezar ou "compor" a frase, como, por exemplo, *belíssimas, esforçados, inteligentes.* Além disto, toda a parte inicial do enunciado é inútil: *com relação ao problema dado, podemos levantar a seguinte hipótese...* bastando que se diga apenas: *Hipótese: não existe diferença*, etc. Por outro lado, faltou uma palavra importante para caracterizar a *diferença*: "significativa" (mais apropriadamente, na linguagem de estatística, se diz significante). O enunciado, então, poderia ser: *Hipótese: Não existe diferença significativa*, etc.;

g) a *economia do enunciado supõe a simplicidade e consiste em utilizar todos os termos e somente os termos necessários à compreensão mas na menor quantidade possível.* Assim, na seguinte formulação, os termos que não estão sublinhados são inúteis: "O conjunto *das respostas, emitidas pelos alunos de O.E.*, na solução de cada caso, *não apresenta diferença significativa* com a solução de cada caso, apresentada pelo conjunto de *respostas, dadas pelos alunos de F.P.*" ("As respostas emitidas pelos alunos de O.E. não apresentam diferença significativa das respostas dadas pelos alunos de F.P.");

h) *uma das finalidades básicas da hipótese é servir de explicação para o problema que foi enunciado. Se isso não acontece, a hipótese não tem razão de existir.* Assim, não serve a seguinte formulação: "os casos de aconselhamento são melhor resolvidos pelos alunos de O.E. e os casos de Psicoterapia pelos alunos de F.P." De fato, no problema se pergunta *se há diferença significativa entre as respostas dadas* e não quem é melhor em Aconselhamento ou Psicoterapia. A hipótese é portanto inválida por não possuir a força explicativa para o problema formulado.

Colocamos agora à análise e apreciação do leitor as seguintes hipóteses que levantamos para responderem às exigências dos *critérios*: a) "não existe diferença significativa, entre as *respostas* dadas pelos alunos de O.E. e pelos de F.P., quanto à *correção*, isto é, quando se julga que as *respostas* dadas possuem as características de ser não diretivas; b) "não existe diferença significativa, entre as *respostas* dadas pelos alunos de O.E. e pelos de F.P., quanto à *adequação*, isto é, quando se julga que as *respostas* dadas convêm ao caso a que se referem e não a outro"; c) "no total das *respostas* dadas, os alunos de F.P. apresentam maior grau de *discriminação* e *precisão* do que os alunos de O.E."

Pelos exemplos que acabamos de apresentar, o leitor viu que uma hipótese não é enunciada em forma interrogativa e nem em forma condicional, *mas é uma afirmação* (provisória) que se faz. Diz Bunge: "o fato de que a maioria das hipóteses científicas se formulem de um modo categórico não nos deve confundir. Não é paradoxal que uma proposição categórica expresse uma hipótese. O paradoxo se desvanece quando se substitui o velho nome tradicional de *hipotéticas* que se dava a estas proposições "se – então" pelo moderno nome de *condicional*"[42].

Outro aspecto, que deve ser igualmente lembrado, é que uma hipótese *não é apenas um enunciado repetitivo* da formulação do problema. Anteriormente, neste trabalho, deu-se um exemplo de um problema com a seguinte formulação: "A droga X cura a doença Y?" E foram apresentadas as seguintes proposições alternativas como hipóteses: a) "a droga X cura a doença Y" e b) "a droga X não cura a doença Y". O leitor deve estar lembrado de que isto foi feito para explicar a *lógica* que relaciona a hipótese com o problema e não para mostrar como uma hipótese deve ser enunciada. Vejamos um exemplo para mostrar que a hipótese não é repetitiva. Imaginemos um problema formulado nos seguintes termos: "Até que ponto a delinquência juvenil, na cidade de São Paulo, é ocasionada pela toxicomania?" Sabe-se que, neste caso, existem duas variáveis: *toxicomania* (variável independente) e *delinquência juvenil* (variável dependente). Suponhamos que, para o interesse da pesquisa, se inclua apenas o estudo de *roubo* e de *homicídio* para a *delinquência juvenil*. Neste caso, poderíamos, talvez, enunciar para o problema as seguintes hipóteses: a) "entre os delinquentes juvenis de São Paulo existe uma quantidade significativamente maior de cri-

---

42. Mário Bunge, op. cit., p. 252.

mes de homicídio, causados pelo uso de drogas que por outros motivos"; b) "entre os delinquentes juvenis de São Paulo não existe diferença significativa entre os crimes de roubo, cometidos por causa do uso das drogas, e os cometidos por outras causas".

Como se vê, o enunciado da hipótese não repete materialmente a formulação do problema. E, isto, de maneira especial, porque deve possuir força explicativa (geralmente a simples repetição possui uma força explicativa muito pequena, às vezes insignificante, quando possui), que aparece, no exemplo, pelo menos sob três aspectos: I) responde se os crimes são ou não ocasionados pelas drogas, mencionando um modo de verificar a resposta; b) indica que variáveis interessam ao estudo da pesquisa, discriminando as situações em que ambas se encontram; c) diz o tipo de relação que se estabelece entre as variáveis, orientando, neste caso, se a pesquisa deve ser descritiva ou experimental.

3. A hipótese estatística

Uma hipótese pode ser constituída apenas de *uma variável*, p. ex.: "os estudantes universitários de Recife são *favoráveis ao divórcio*". Pode ter *duas ou mais variáveis*, relacionadas entre si, *sem vínculo de causalidade*, p. ex.: "aumentando a *desnutrição* aumenta a *religiosidade* entre os favelados do Rio de Janeiro". Pode, finalmente, ter *duas ou mais variáveis, relacionadas com vínculo de causalidade*, p. ex.: "o aumento da *religiosidade* entre os jovens de Vitória ocasiona o aumento de sua *frequência à igreja*" (Evidentemente não é o simples enunciado de uma hipótese, mas é a realização de uma pesquisa, que nos dirá se existe ou não relação de causalidade entre variáveis. A hipótese faz uma menção que poderá ou não ser comprovada). Para se verificarem as hipóteses, obtêm-se informações na realidade empírica, e este procedimento constitui a fase que, no método, se denomina *coleta de dados* e que veremos no próximo capítulo.

Obtidas as informações, precisamos *decidir* se comprovam ou não as hipóteses enunciadas. Esta decisão não é efetivada pela simples comparação dos dados obtidos ou através unicamente do raciocínio lógico, mas exige que se recorra a procedimentos específicos de estatística. Aqui, se o próprio pesquisador não é perito em estatística, deve recorrer a um deles*. A utilização da estatística é meio: *não se deve confundir pesquisa com estatística*, embora esta seja para aquela um recurso indispensável, obrigatório. A fim de comprovar as hipóteses, a estatística nos dirá se os resultados obtidos, a partir das informações colhidas, são *significativos* ou meramente fruto do acaso. Ajuda-nos, portanto, a *termos confiança na decisão* sobre os resultados, mas *não explica* nem como estes foram alcançados e nem quais as suas causas, pois estas questões devem ser respondidas pelo processo de pesquisa e não pela estatística. Para a estatística nos ajudar, é necessário que as hipóteses sejam enunciadas com exatidão e apresentadas na forma de linguagem numérica.

Devemos distinguir a *hipótese da pesquisa*, isto é, aquela que foi enunciada logo depois da formulação do problema e a *hipótese da estatística*, isto é, aquela que vai ser utilizada para aplicação das técnicas estatísticas. Geralmente a segunda não é mais do que a primeira "traduzida" em linguagem numérica. Vejamos um exemplo. Imaginemos o seguinte problema de pesquisa: "A maior quantidade de toxicômanos, entre os estudantes universitários da cidade N, é constituída de rapazes ou moças?" Para este

---

* Quando são necessárias a orientação e colaboração do perito em estatística, este deve ser procurado logo no início da elaboração do projeto, isto é, desde a formulação do problema ou, talvez, antes, para definir que participação terá tanto na elaboração do projeto como na execução da pesquisa, se for o caso.

problema, poderíamos enunciar, por exemplo, a seguinte hipótese: "A maior quantidade de estudantes viciados em drogas, entre os universitários da cidade X, encontra-se nos indivíduos do sexo masculino" (simplificou-se o enunciado para facilitar a explicação que segue). Esta é a *hipótese da pesquisa*. Mas, para poder ser verificada estatisticamente, ela deve ser "traduzida" em linguagem numérica. Assim, poderíamos, talvez, dizer: "Entre os estudantes universitários da cidade X, viciados em drogas, 83,27% são constituídos por indivíduos do sexo masculino". Entretanto, aqui vem a dificuldade: não é fácil encontrar a "quantidade" exata para se fazer a previsão: por que 83,27% e não 83,28% ou 82,56% etc.? Em que nos podemos basear para prever, na hipótese, que são precisamente 83,27%? (*depois* que a pesquisa for feita, saberemos, mas a hipótese é enunciada *antes*). Se escolhêssemos 83,27% e, ao fazer a pesquisa, constatássemos que a "quantidade" é de 83,20%, a nossa hipótese deveria ou não ser rejeitada por margem tão pequena? (independentemente do que nos revelasse a estatística).

Assim, para evitar todas estas dificuldades, o modo mais comum é enunciar a hipótese estatística na forma da *hipótese nula*. Para explicar no que esta consiste, Garret diz que "em sua forma mais simples esta hipótese estatui que não há diferença entre duas médias de população e que a diferença que se admite existir entre médias de amostra é, portanto, acidental e sem importância. A hipótese nula é análoga ao princípio legal de que um homem é inocente até que seja provada sua culpabilidade"[43]. Quando pretendemos fazer comparações estatísticas, utilizamos a média, e, quando comparamos amostras, devemos tomar uma decisão. A hipótese nula afirma que a diferença entre

---

43. H. Garret, *Estatística na Psicologia*, vol. II, p. 3.

as médias das amostras é igual a zero, isto é, que elas são iguais entre si. Em outras palavras, isto indica que elas são da mesma população e não de populações diferentes. A hipótese nula é enunciada por motivos operacionais, porque permite, no ponto de vista estatístico, um tratamento eficaz. Muitas vezes ela já é enunciada com a intenção expressa de ser rejeitada. Assim, no exemplo acima, dado por nós, previmos que existe, entre os toxicômanos, uma quantidade maior de indivíduos pertencentes ao sexo masculino. E, no entanto, podemos, para a nossa pesquisa, enunciar a seguinte hipótese nula: "Não existe diferença significativa entre a quantidade de indivíduos do sexo masculino e os de sexo feminino, entre os estudantes universitários, viciados em drogas, da cidade N". Na hipótese da pesquisa, supusemos que a diferença existe. Entretanto, para a eficácia do tratamento estatístico, agimos como se a diferença fosse nula, isto é, igual a zero. Devemos, depois, aplicar uma prova de estatística para verificar se realmente a diferença existe ou não. E, neste caso, se a *hipótese nula* (representada por H_0) for rejeitada – isto é, se a diferença for comprovada –, devemos então aceitar a hipótese alternativa (representada por H_1). Caso contrário, aceitamos H_0 e rejeitamos H_1. A hipótese levantada para nossa pesquisa é a alternativa (H_1). Desta maneira, ela só pode ser aceita se a hipótese nula for rejeitada.

Siegel apresenta os seguintes passos para decidir, por tratamento estatístico, se uma hipótese nula deve ser aceita ou rejeitada: a) *enunciado da hipótese nula* (H_0); b) *escolha de uma prova estatística*, com seu respectivo modelo estatístico, para provar H_0. Das provas capazes de serem usadas, num plano de pesquisa, deve-se escolher aquela cujo modelo mais se aproxime das condições da pesquisa... e cujos requisitos de medida satisfaçam as medidas usadas na pesquisa; c) *especificação da significância* (a) *e do tamanho da amostra* (N); d) *apresentação (ou suposição) da distribuição d*a amostra da prova estatística conforme H_0; e) sobre as bases de *b*, *c* e *d* *definição da região crítica;* f) *cálculo do valor da prova estatística com os dados obtidos da amostra.* Se o valor se encontra na região da rejeição deve ser rejeitado, se estiver fora da região da rejeição não se pode rejeitar Ho ao nível de significância escolhido[44].

Com relação ao item *b*, a escolha de uma prova estatística será considerada "boa", quando houver pequena probabilidade de se rejeitar a hipótese nula, quando esta é "verdadeira" ou, então, de aceitá-la, quando é "falsa". A escolha da prova depende de uma série de circunstâncias: do objetivo que se pretende alcançar com a pesquisa, da maneira como a amostra foi selecionada, do instrumento que se utilizou para a coleta de dados, da maneira de medir as variáveis, etc. Quanto à *especificação da significância*, convém notar o seguinte: se uma hipótese for rejeitada, quando devia ser aceita, diz-se que foi cometido um *erro tipo I*. Se, por outro lado, for aceita uma hipótese que devia ser rejeitada, diz-se que foi cometido um *erro tipo II*. O desejável seria que nenhum dos dois erros fosse cometido. Entretanto, a possibilidade de se cometer o erro tipo I, ao testar uma hipótese, é dada pelo *nível de significância*, isto é, por. Quanto mais se aumenta o valor de a mais se corre o perigo de se rejeitar a hipótese nula, sendo esta "verdadeira". Na prática, geralmente se adota o nível de significância igual a 0,05 ou 0,01. No primeiro (a = 0,05) há probabilidade de que em 95% dos casos se tome uma decisão acertada, isto é, que em cinco dentre cem casos a Ho seja rejeitada quando devia ser aceita. Diz-se, então, que a hipótese nula é rejeitada ao nível de significância de 0,05. Na prática, o nível de significância deve ser expresso, logo depois de se ter enunciado a hipótese nula e de se ter definido que prova estatística vai ser aplicada, e antes da

---

44. Sidney Siegel, *Estatística no paramétrica*, p. 27.

seleção da amostra. É neste momento que, juntamente com o nível de significância, deve-se apresentar o tamanho da amostra que será selecionada. Relativamente à região da rejeição, deve-se observar o seguinte: tendo como referência a curva normal, o espaço que contém 95% dos casos (quando a = 0,05) é + 1,96s e – 1,96s e o espaço que contém 99% dos casos (quando a = 0,01) é + 2,58s e – 2,58s. O espaço compreendido entre um e outro conforme a é denominado *região da aceitação* e o espaço que fica fora e acima ou abaixo da região da aceitação é denominado de *região de rejeição da hipótese*, o que se verifica para cada caso através de provas estatísticas.

Para concluir este capítulo, convém lembrar, como já foi dito, que a diferença, indicada na hipótese nula, refere-se a uma interpretação estatística. Ao compararmos dois grupos e ao afirmarmos que, entre eles, *não existe diferença significativa*, estamos querendo indicar que *estatisticamente eles não são diferentes*. Se, *tendo em vista o fenômeno* a respeito do qual são comparados, eles *realmente* são ou não diferentes *depende de a pesquisa* ter sido ou não bem-feita. Se o modo de proceder na pesquisa foi correto, então o fato de não haver estatisticamente diferença significativa pode ajudar à *inferência* de que também quanto ao fenômeno, que serve para compará-los, não há diferença significativa e que qualquer diferença encontrada se deve apenas ao acaso.

CAPÍTULO VIII

Coleta, análise e interpretação dos dados

1. Noções preliminares

Chama-se de "coleta de dados" à fase do método de pesquisa, cujo objetivo é *obter informações* da realidade. A fase seguinte, em continuação a esta, é o processo de *analisar* e *interpretar* as informações obtidas e denomina-se "análise e interpretação de dados". Iremos ver as duas neste capítulo.

De acordo com o tipo de informações que se deseja obter, há uma variedade de instrumentos que podem ser utilizados e maneiras diferentes de operá-los. Os instrumentos mais úteis à pesquisa são os que, além de assinalar a presença ou ausência de um fenômeno, são ainda capazes de quantificá-lo, dando-nos uma medida sobre o mesmo. Assim, por exemplo, a balança pode acusar que o homem *pesa*, mas tem uma utilidade maior porque, além disto, pode indicar *quanto* pesa, p. ex.: 80kg. Nas ciências comportamentais, preferem-se também instrumentos que possam medir o fenômeno, por isto, p. ex., um teste de inteligência é útil, porque além de acusar que o homem é inteligente pode oferecer uma medida a fim de se avaliar o seu Q.I.

O termo *medir* serve para indicar a atribuição de números a fenômenos, permitindo que, desta forma, se possa efetuar determinadas operações. E as medidas, para isto, podem se apresentar em quatro níveis: nominal, ordinal, de intervalo e de proporção, cujos significados são os seguintes:

a) *escala nominal* é o nível mais elementar que existe para a medida. Nela *os números são utilizados apenas para indicar que os fenômenos pertencem a classes diferentes. Os nú-*

meros servem, então, para distinguir uma classe da outra. É o que acontece, por exemplo, com números de telefone. Em Recife, o prefixo 326 indica que o telefone pertence à classe de telefones de Boa Viagem, e 429, à classe de telefones de Olinda. Neste caso, não tem sentido dizer que 429 é maior ou superior a 326. Na escala nominal, os números *servem também para indicar igualdade ou equivalência* entre os elementos que pertencem à mesma classe. Assim, todos os telefones com o prefixo 429 são iguais e equivalentes quanto ao fato de pertencerem à classe de telefones de Olinda;

b) quando *os números são utilizados para estabelecer uma ordem entre os indivíduos*, então se diz que formam uma *escala ordinal*. Assim, por exemplo, à medida que chegam a um Ambulatório, as pessoas vão recebendo uma ficha numerada. Aqui, o número de cada ficha indica a ordem de chegada e o conjunto de fichas forma uma escala ordinal. Neste caso, *os números já não indicam mais equivalência, mas que um, sob algum aspecto, é* mais (*ou maior*) *do que o outro* (p. ex.: o que chegou primeiro é *mais pontual* do que o segundo, que é *mais pontual* do que o terceiro, que é *mais pontual*, etc.). Isto também acontece com os números, quando são utilizados para a classificação escolar: o 1º é mais do que o 2º, que é mais do que o 3º etc.;

c) na *escala de intervalo dos números, além da ordem, indicam uma distância entre eles.*

Assim, por exemplo, no termômetro, os graus de temperatura: 36, 37, 38, etc. O primeiro indica uma temperatura "normal", o segundo um começo de febre, o terceiro o aumento da febre, etc. Embora no termômetro o ponto zero seja arbitrário, *em qualquer um deles a distância entre os números permanece sempre a mesma, dando iguais medida e classe de informação, mantendo a unidade de medida, comum e constante;*

d) a *escala de proporção* possui as mesmas características da escala de intervalo, tendo, no entanto, mais o fato de *sua origem ser o ponto zero*. Assim, por exemplo, os números que, numa balança, servem para pesar, formam uma escala de proporção.

As escalas oferecem um interesse particular para a pesquisa científica porque definem tratamentos estatísticos específicos que devem ser usados em cada uma delas. A este respeito, Siegel apresenta o seguinte quadro:

OS QUATRO NÍVEIS DE MEDIDA E AS ESTATÍSTICAS APROPRIADAS A CADA NÍVEL

Escalas	*Relações definidas*	*Exemplos de estatísticas apropriadas*	*Provas estatísticas apropriadas*
Nominal	Equivalência	Modo Frequência Coeficiente de contingência	Provas estatísticas não paramétricas
Ordinal	1. Equivalência 2. De maior para menor	Percentis Spearman rs Kendall r Kendall W	
Intervalo	1. Equivalência 2. De maior para menor 3. Proporção conhecida de um intervalo a qualquer outro	Média Desvio-padrão Correlação de Pearson Correlação múltipla	Provas estatísticas paramétricas e não paramétricas
Proporção	1. Equivalência 2. De maior para menor 3. Proporção conhecida de um intervalo a qualquer outro 4. Proporção conhecida de um intervalo da escala a qualquer outro	Média geométrica Coeficiente de variação	

Fonte: Sidney Siegel[45]

45. Sidney Siegel, *Estadística*, p. 51.

2. Instrumentos de pesquisa

Chama-se de "instrumento de pesquisa" o que é utilizado para a *coleta de dados*. Pelo fato de serem muito frequentemente empregados nas ciências comportamentais, vamos apenas considerar, em nosso estudo, o *questionário* e a *entrevista*. Estes dois instrumentos têm, de comum, o fato de serem constituídos por uma lista de indagações que, respondidas, dão ao pesquisador as informações que ele pretende atingir. E a diferença, entre um e outro, é ser o *questionário* feito de perguntas, entregues por escrito ao informante e às quais ele também responde por escrito, enquanto que, na *entrevista*, as perguntas são feitas oralmente, quer a um indivíduo em particular quer a um grupo, e as respostas são registradas geralmente pelo próprio entrevistador.

Para que se possa ter confiança em aceitar as informações de um instrumento de pesquisa, este precisa ter as qualidades de *validade* e *fidedignidade*. Diz-se que um instrumento é *válido* quando *mede o que pretende medir* e é *fidedigno* quando *aplicado à mesma amostra oferece consistentemente os mesmos resultados*. Os questionários e entrevistas possuem técnicas próprias de elaboração e aplicação, que precisam ser obedecidas, como garantias para a sua validade e fidedignidade.

Uma coisa é a construção de um instrumento de pesquisa e, outra, é a sua aplicação. Quanto à primeira, tanto o questionário como a entrevista são formados por um conjunto de questões, enunciadas como perguntas, de forma organizada e sistematizada, tendo como objetivo alcançar determinadas informações. Ao conjunto de questões, enunciadas com estas características, dá-se o nome de "formulário". Geralmente se preferem, para o questionário, *perguntas fechadas* e, para a entrevista, *perguntas abertas* ou simplesmente *tópicos*. De fato, como nesta última o entrevistador se encontra junto ao informante, bastam apenas *indicações* mais amplas, podendo fazer, no momento oportuno, as adaptações e complementações que forem necessárias, o que não acontece no questionário onde o informante se encontra sozinho e sem nenhuma ajuda.

Perguntas fechadas são as que alguém responde assinalando apenas um *sim* ou *não* ou, ainda, marcando uma das alternativas, já anteriormente fixadas no formulário. Deve ser indicado o modo de o informante assinalar a alternativa que escolher. Eis um exemplo:

"Em cada pergunta abaixo, escolha a alternativa que serve para a sua resposta, assinalando-a com um X que deve ser colocado no respectivo parêntese:

1. É a primeira vez que você vem a São Luís?

( ) sim ( ) não ( ) não me lembro ou não sei responder

2. Há quanto tempo você se encontra nesta cidade?

( ) há uma semana ou menos de uma semana

( ) de mais de uma semana a menos de 15 dias

( ) de 15 dias a menos de um mês

( ) de um mês a mais de um mês

3. Em que condução você chegou a esta cidade?

( ) automóvel ( ) ônibus ( ) trem ( ) avião

( ) barco/navio ( ) outros meios de condução

4. Qual foi a impressão que, ao chegar, a cidade lhe causou:

( ) agradável ( ) muito agradável

( ) desagradável ( ) muito desagradável

( ) indiferente

5. Qual a sua opinião sobre a seguinte frase: 'São Luís é uma das cidades mais belas do Brasil'

( ) *concordo plenamente* ( ) *concordo muito*

( ) *discordo plenamente* ( ) *discordo muito*

( ) *concordo* ( ) *discordo*

( ) *não tenho opinião formada*

As perguntas abertas são as que permitem uma livre resposta do informante, por exemplo:

1. É a primeira vez que você vem a São Luís?

. . . .

2. Há quanto tempo você se encontra nesta cidade?

. . . .

3. Sem entrar em detalhes, diga qual foi a primeira impressão que você teve ao chegar a esta cidade?

. . . .

. . . .

. . . .

Justifique sua resposta de modo bem resumido:

. . . .

. . . .

4. Dê, na ordem de importância – e a começar da mais importante para você –, três sugestões que, na sua opinião, se forem executadas, transformarão São Luís num dos polos de maior atração turística do Brasil:

I) . . . .

. . . .

. . . .

II) . . . .

. . . .

. . . .

III) . . . .

. . . .

. . . ."

Um questionário pode ser constituído só de perguntas abertas ou só de perguntas fechadas ou, simultaneamente, dos dois tipos de perguntas.

Quanto à *entrevista*, os itens que a orientam podem ser apresentados em forma de perguntas abertas e/ou perguntas fechadas como também em forma de tópicos, por exemplo:

"Formulário
(para orientação do entrevistador)

1. Perguntar se é a primeira vez que o entrevistado vem a São Luís (anotar apenas uma das três respostas: sim – não – não me lembro ou não sei responder).

2. Saber a quanto tempo ele se encontra na cidade.

3. Solicitar sugestões para transformar São Luís em polo turístico brasileiro (anotar as sugestões na ordem de importância e a partir da que ele considera mais importante)."

Antes de começar a redigir o formulário (tanto para o questionário como para a entrevista), é necessário estabelecer um *plano*, para que as perguntas sejam apresentadas de modo ordenado e numa sequência lógica, que dê unidade e eficácia às informações que se pretende obter: o formulário não é uma colcha de retalhos, mas um todo organizado, com o objetivo de conseguir determinadas informações. Assim é necessário, antes de construí-lo, definir exatamente quais as informações que precisam ser obtidas, a fim de que nele só sejam feitas indagações pertinentes e relevantes. Colocar perguntas, visando, por exemplo, apenas satisfazer curiosidade, é distorcer o objetivo do formulário. É necessário, também, que as perguntas sejam relevantes, de modo que justifiquem tanto os esforços do pesquisador, em construir e aplicar o formulário, como o trabalho do informante, para respondê-lo. Aconselha-se que, ao estabelecer a ordem das perguntas, sejam primeiramente colocadas as mais fáceis e, no fim, as mais difíceis, ajudando o informante no desenvolvimento do pensamento lógico à medida que vai dando suas respostas. Igualmente, as perguntas, que exigem respostas de cunho mais íntimo, devem ser colocadas posteriormente e preparadas por indagações mais impessoais e comuns, que devem estar no começo. O questionário deve ser claro e preciso nas instruções que der, atraente na apresentação, havendo, depois de cada pergunta, um espaço suficiente para o tamanho da resposta que se espera, levando-se em consideração se é *fechada* ou *aberta*.

Tanto o questionário como a entrevista servem para obter informações que não podem ser colhidas através de outros meios. Assim, não tem sentido, por exemplo, aplicar um questionário, para que os alunos de uma escola respondam que notas obtiveram no ano passado (a não ser que, neste pedido, outra questão, de fato relevante, esteja sendo buscada), pois podemos obtê-las, consultando simplesmente as fichas dos referidos alunos.

Antes de aplicar o questionário, é necessária a certeza de que o informante está *em condições* de respondê-lo (isto é, se sabe ler e escrever, se conhece o assunto indagado, etc.) e que está suficientemente *motivado* e *disposto* a fazê-lo. Convém indicar em termos gerais, na introdução do questionário, o objetivo de sua aplicação e o que se espera do informante, por exemplo:

"O Governo Municipal pretende fazer um planejamento, tornando São Luís um dos polos turísticos do país. Para isto, está pedindo a colaboração de pessoas interessadas e/ou entendidas no assunto. Esta é a razão pela qual nos dirigimos a V.S., solicitando responder este questionário, de acordo com as instruções que seguem, etc."

No começo do questionário, devem ser colocadas as indagações, que servem para caracterizar o informante, e necessárias à pesquisa, p. ex.: *sexo, idade, estado civil,* etc. Convém decidir se é importante para a pesquisa o informante colocar seu *nome*. Quando o indivíduo não é obrigado a se identificar, geralmente pode responder com mais liberdade e sinceridade, sobretudo se as perguntas se referem a assuntos delicados ou muito pessoais.

Uma série de precauções devem ser tomadas, na formulação das perguntas, para que sejam claras, facilmente compreendidas, evitando-se toda a confusão e ambiguidade. Alguns casos podem ser considerados: a) *cada item deve conter uma só pergunta*. Se existe mais de uma, além de criar dificuldade para o informante responder, pode-se tornar inválida para o pesquisador. Assim, por exemplo: "Você acha que a Secretaria de Educação deve oferecer aos professores atividades, durante as férias, como cursos de aperfeiçoamento?" Vamos supor que alguém responda "não", de que estará discordando: I) de que a Secretaria ofereça atividades? II) de que estas sejam durante as férias? III) de que as atividades sejam cursos de aperfeiçoamento? b) *quando se tratar de* perguntas fechadas *é necessário se ter cuidado para não colocar alternativas inadequadas*. Assim, por exemplo: "Você é casado ou solteiro?", a esta pergunta como devem responder os viúvos, desquitados, divorciados, etc.? c) *a formulação da pergunta não deve ser equívoca*. Assim, por exemplo: "Você acha que o patrimônio histórico maranhense deve ser cuidado de São Luís"? d) *quando o termo empregado no formulário corre o perigo de não* ser entendido (por não ser muito comum, por ser muito geral, por estar sendo utilizado num sentido muito específico ou por outra razão qualquer) *deve ser explicado*. Assim, por exemplo: "Na sua opinião que obras históricas (igrejas, prédios, praças, etc.) devem constar do roteiro turístico da cidade?" e) *deve-se evitar perguntas* "tendenciosas", isto é, que, pelo seu enunciado, já estejam, de algum modo, orientando a resposta, por exemplo: "Você não acha que o equipamento tão deficitário do nosso laboratório é capaz de prejudicar o nosso curso de Biologia?"

Mann refere-se a uma "arte de perguntar" e diz que para a mesma existem cinco problemas: a) *perguntas ambíguas* são aquelas que podem ser interpretadas pelo informante de mais de uma forma; b) *perguntas capciosas*, que, pela forma de serem enunciadas, tendem a influenciar a resposta; c) *perguntas duplas* – situação em que, no mesmo enunciado, existem duas respostas a serem dadas, onde se pede apenas uma; d) *jargão e terminologia técnica* inacessíveis ao informante; c) *perguntas emocionais* que, envolvendo o informante, impedem ou dificultam uma resposta honesta[46]. Podíamos, talvez, acrescentar uma *atitude* que se deve ter sempre que se aplica um questionário: para garantir que, nele, se encontrem as respostas realmente tão necessárias, é preciso que o seu preenchimento seja feito somente pelo informante, sem a interferência de terceiros.

Quanto à entrevista, costuma-se insistir no *contato inicial* entre entrevistador e entrevistado, como sendo de grande importância para motivar e preparar o informante, a fim de que suas respostas sejam realmente sinceras e adequadas. E, no decorrer da entrevista, as perguntas, que

---

46. Peter H. Mann, *Métodos de investigação*, p. 153 a 155.

por ele não forem compreendidas, devem ser repetidas e, se for o caso, enunciadas de forma diferente. Deve-se dar tempo suficiente para que o entrevistado reflita e responda às perguntas com tranquilidade. Pode-se fazer o *registro* da entrevista *ao mesmo tempo em que ela está sendo realizada*, cuidando-se, no entanto, para que este procedimento não traga inibição ao entrevistado e nem o obrigue a cortar seu pensamento ou a ficar esperando ou, ainda, a ser interrompido a cada instante, para as anotações serem feitas. Pode-se também fazer estas anotações *depois* da entrevista. Mas, aqui, é necessário ter boa memória para pelo menos guardar o essencial, sem distorcer o que foi dito pelo entrevistado.

Quando se trata de fazer *pesquisa de opinião*, costuma-se utilizar um formulário com Escalas de Opinião ou Escalas de Atitude. Estes dois termos – *atitude* e *opinião* –, embora intimamente relacionados entre si, não são sinônimos. O primeiro indica que o indivíduo *sente* ou sua *disposição de ânimo* diante das coisas, pessoas e acontecimentos. Como Best explica, "é difícil, para não dizer impossível, descrever e medir as atitudes. O pesquisador fica, então, na dependência do que o indivíduo *diz* sobre seus juízos e sentimentos. Esta é a área da opinião. Mediante o uso de perguntas ou convertendo a reação manifestada pelo indivíduo numa afirmação, obtém-se uma amostra de sua opinião. Desta afirmação de uma opinião pode-se deduzir ou constatar uma atitude: o que o indivíduo realmente sente e julga"[47]. Numa palavra, *atitude* é a *disposição interior*, referindo-se ao que o indivíduo pensa, julga ou sente. *Opinião* é a *expressão* deste estado interior manifestado *pelo que o indivíduo diz*. E a *pesquisa de opinião* é uma situação em que se verifica o que o indivíduo pensa, julga ou sente, criando-se, para isto, uma condição em que ele deve se manifestar, "dizendo" alguma coisa. A "condição" pode ser uma

---

47. J.W. Best, op. cit., p. 125.

pergunta direta: *"Você acha que a Prefeitura deve reunir, num só programa oficial, todas as festas juninas que se realizam na cidade?"* Respondendo *"sim"* ou *"não"* a pessoa dá sua *opinião* e, através dela, manifesta sua atitude, isto é, se é ou não favorável ao assunto em discussão. Poder-se-ia também pedir ao indivíduo para manifestar o grau de favorabilidade, assinalando posição numa escala, p. ex.: *"Chegou à Prefeitura uma sugestão para que todas as festas juninas da cidade fossem reunidas numa só programação oficial. Qual é sua opinião diante do que foi sugerido? A sugestão é*

ótima ( )   péssima ( )

sou indiferente ( )

boa ( )   má ( )

Notem que, neste caso, a escala é formada de cinco posições. É aconselhável que estas sejam sempre em *número ímpar*. Além disto, há *duas posições extremas*: "ótima" e "péssima" e, no meio das duas, um *ponto neutro* ("indiferente"). De cada extremo ao ponto neutro, existe uma *simetria* de posições nos dois lados. Aqui, entre "ótima" e "indiferente", existe "boa" e entre "péssima" e "indiferente" existe "má". Esta simetria deve ser conservada sempre. Imaginemos que, ao invés de cinco, houvesse sete posições, que, conservada a simetria, poderiam ser estas: *ótima* – muito boa – boa – *indiferente* – má – muito má – *péssima*. Finalmente, a pergunta, para verificar a opinião, poderia também ser indireta, p. ex.: *"Será que os participantes da festa junina de nossa cidade preferem vê-las reunidas numa só programação oficial? Dê sua opinião sublinhando uma das seguintes alternativas: preferem – não preferem – não sei.*

3. Análise e interpretação dos dados

Obtidos os dados, o pesquisador terá diante de si um amontoado de respostas, que precisam ser ordenadas e organizadas, para que possam ser analisadas e interpretadas. Para isto, devem ser *codificadas* e *tabuladas*, começando-se o processo pela *classificação*.

Classificar é dividir um todo em partes, dando ordem às partes e colocando cada uma no seu lugar. Para que haja classificação é necessário que um *todo* ou *universo* seja dividido em suas *partes*, sob um determinado *critério* ou *fundamento*, que é a base da divisão a ser feita. Assim, por exemplo, os alunos, dentro de uma sala de aula, podem ser considerados um *todo* ou *universo*. Podemos ter o "sexo" como *critério* e eles serão divididos em duas partes: masculina e feminina. Cada uma das partes é chamada "classe" ou "categoria". Assim, no exemplo, os alunos, quanto ao sexo, foram divididos em duas *categorias*: masculina e feminina. Um *todo* pode ser constituído de pessoas, de coisas, de acontecimentos, de características ou de ideais.

Uma classificação, para ser adequada, não pode ser feita arbitrariamente, mas é necessário que obedeça determinadas normas, sendo, geralmente, indicadas as seguintes: a) *na mesma classificação não pode haver mais de um critério*. Não se pode, portanto, dividir os alunos de uma sala de aula em: masculinos, femininos e adiantados; b) *as categorias em que o todo é dividido deve abranger cada um dos indivíduos, pertencentes ao universo, sem deixar nenhum de fora*. Não se pode, portanto, dar apenas as categorias *solteiro* e *casado* para dividir os professores de uma Faculdade, pois ficariam fora os viúvos, desquitados, etc.; c) *a classificação deve ser constituída por categorias que se excluam mutuamente, de forma que não seja possível colocar cada indivíduo em mais de uma categoria*. Não se pode dar, portanto, as seguintes categorias para dividir, por faixa etária, os alunos de uma sala de aula: 16-18 anos, 18-20 anos, 20-22 anos e 22-24 anos porque os alunos de 18, 20 e 22 anos poderiam ser colocados em mais de uma categoria; d) *a classificação não deve ser demasiadamente minuciosa*, pois se houver excessivas categorias, com muitas divisões e subdivisões, ao invés de clareza ter-se-á obscuridade e confusão.

Do ponto de vista do nosso estudo, a classificação é uma forma de discriminar e selecionar as informações obtidas, a fim de reuni-las em grupos, de acordo com o interesse da pesquisa. Mas, para que isto aconteça, ainda são necessárias duas operações, que passamos a estudar: a codificação e a tabulação.

*Codificar** é o processo pelo qual se coloca uma determinada informação (ou, melhor, o "dado" que ela oferece) na categoria que lhe compete, atribuindo-se cada categoria a um item e dando-se, para cada item e para cada categoria, um símbolo. Este pode ser apresentado na forma de palavras ou, bem preferivelmente, na forma de linguagem numérica. Imaginemos, para exemplo, que foi aplicado a um grupo de alunos da Faculdade W um questionário somente com a seguinte *pergunta fechada: "Qual o seu julgamento, de modo geral, sobre a competência dos professores desta Faculdade? Sublinhe a alternativa que indica sua resposta: ótima – boa – regular – má – péssima"*. Para codificar as respostas obtidas, é necessário, primeiro, classificar as indagações do questionário, tendo em vista uma previsão das diversas possibilidades de serem respondidas. Assim, vamos supor, então, que haja um *item A*, referente às *características dos informantes* (no começo do questionário) e um *item B*, referente *às respostas para a pergunta* (foi uma só) *do questionário*. Como se vê, para cada item foi assinalado um símbolo, respectivamente "A" e "B". Imaginemos que para o *item A* foram pedidas apenas duas características: *idade* e *sexo*. Podemos, então, atribuir para o primeiro o símbolo I e, para o segundo, o símbolo II. Mas estas duas categorias ainda devem ser subdivididas. Teremos, então, para o item A – *Características dos informantes*: A.1 – Sexo: A.1.1 – masculino e A.1.2 – feminino.

---

* O uso de máquina de computação e de processamento de dados na análise não entra no objetivo deste trabalho, que é de introdução simples (V., p. ex.: Rummel, Francis J., *Introdução aos procedimentos*, p. 209s).

E, para A.2 – Idade: A.2.1 – até 18 anos completos; A.2.2 – de mais de 18 até 19 anos; A.2.3 – de mais de 19 até 20 anos completos; A.2.4 – de mais de 20 até 21 anos completos (imaginemos que na referida classe não exista ninguém de menos de 18 anos e nem de mais de 21 anos). E teremos para o item B – *Respostas para a pergunta*: B.1 – ótima; B.2 – boa; B.3 – regular; B.4 – má; B.5 – péssima.

Com a classificação que fizemos, atribuindo itens, categorias e símbolos à totalidade das respostas dadas ao questionário, podemos agora fazer uma *folha-sumário* onde estarão presentes, de modo organizado e resumido, todos os dados obtidos de todos os casos que o questionário contém. A vantagem desta "folha" é, entre outras, de dispensar o trabalho direto com os instrumentos da pesquisa (isto é, ao invés de se trabalhar com todos os questionários teremos, então, apenas a *folha-sumário*, que funciona como "espelho" fiel de todos os casos e respostas dadas). Eis o exemplo de uma *folha-sumário*:

Exemplo de uma folha-sumário para os resultados hipotéticos de um questionário

Informantes	Item A (característica dos informantes)						Item B (respostas para as perguntas)					
	A.1 (sexo)		A.2 (idade)									
	A.1.1	A.1.2	A.2.1	A.2.2	A.2.3	A.2.4	B.1	B.2	B.3	B.4	B.5	Total
1 Emengarda		X		X				X				
2 José	X		X							X		
3												
Total												

O que fizemos acima foi uma *tabulação*. Este termo serve para designar o processo, pelo qual se apresentam graficamente os dados obtidos das categorias, em colunas verticais e linhas horizontais, permitindo sintetizar os dados de observação, de maneira a serem compreendidos e interpretados rapidamente e ensejando apreender-se com um só olhar as particularidades e relações dos mesmos. Best dá o seguinte exemplo, a fim de explicar como fazer uma tabulação: "suponhamos que estamos analisando respostas "sim" – "não" de um questionário que foi distribuído em seis cursos de uma Faculdade de Filosofia e Letras e respondidos por alunos e alunas do 3º, 4º e 5º períodos. Uma das perguntas do questionário poderia ser: I. *Vi notas e materiais não autorizados num exame final do último trimestre? ( ) sim ( ) não.* As etapas para tabular as respostas deveriam ser estas: a) *selecionar os questionários em seis grupos:* um para cada curso (Filosofia, Pedagogia, História, Línguas Clássicas, Línguas Semíticas e Línguas Modernas); b) *dividir cada um dos seis grupos em três* (um para cada período); c) *separar cada um destes dezoito grupos em dois* (um para cada sexo). Assim, teremos trinta e seis grupos que podem ser tabulados por "sim" ou "não", mediante uma só manipulação dos questionários. Podem-se obter facilmente por adição os totais para qualquer subdivisão (todos os alunos do 4º período; todos os alunos de Pedagogia, etc.). O modelo para a tabulação pode ser o seguinte:

Formulário de tabulação para análise da resposta 1

Período		Filosofia	Pedagogia	História	Línguas Clássicas	Línguas Semíticas	Línguas Modernas
3	sim						
	não						
4	sim						
	não						
5	sim						
	não						

Fonte: J.W. Best[48]

48. J.W. Best, op. cit., p. 169 a 171.

Ainda que o procedimento de coleta de dados exigisse maior número de respostas, o sistema de pré-seleção seria igual. Mas aconselha-se a preparar uma folha de tabulação para cada um dos cursos, porque uma folha só ficaria sobrecarregada.

O autor dá ainda outro exemplo para tabular uma questão com cinco respostas possíveis como a seguinte: *"Um tribunal de honra deveria expulsar os alunos que colam nas provas? ( ) concordo – ( ) inclino-me a concordar – ( ) não posso dar a minha opinião – ( ) inclino-me a discordar – ( ) discordo"*.

Formulário de tabulação para a análise de 40 categorias possíveis, baseadas sobre as respostas à questão I de um questionário suposto

Períodos	Concordo	Inclino-me a concordar	Sem opinião	Inclino-me a discordar	Discordo
1	H				
	M				
2	H				
	M				
3	H				
	M				
4	H				
	M				

Fonte: J.W. Best[49]

Uma vez que os dados foram codificados e tabulados, é necessário agora *analisá-los* a fim de se ver o que significam para a nossa pesquisa. Selltiz e outros fazem algumas

49. J.W. Best, *op. cit.*, p. 169 a 171.

indicações, úteis à descrição dos dados obtidos na amostra estudada e que são resumidamente os seguintes:

a) *caracterizar o que é típico no grupo*, p. ex.: desejamos saber quantos filmes em média as pessoas da nossa amostra veem ou desejamos saber quais os tipos de filmes preferidos pela maioria. O que desejamos, sob o ponto de vista da estatística, é obter alguma indicação sobre a *tendência central* que nos pode ser dada através da média, mediana ou moda; b) *indicar até que ponto variam os indivíduos do grupo*, p. ex.: podemos desejar saber se as pessoas de nossa amostra são semelhantes em suas preferências, de forma que a maioria prefere filmes de determinado tipo ou se existe grande diversidade. Na estatística as medidas de *variabilidade* são dadas pela amplitude, desvio quartil, desvio médio e o desvio-padrão; c) *mostrar outros aspectos da maneira pela qual os indivíduos se distribuem com relação à variável que está sendo medida*, por exemplo, saber se o número de pessoas que nunca vão ao cinema é mais ou menos igual ao daqueles que vão três vezes por mês. Na estatística é necessário saber *como se faz a distribuição: é "normal" ou não*. Isto é fundamental para o emprego dos métodos estatísticos; d) *mostrar a relação entre si das diferentes variáveis*, p. ex.: podemos desejar saber se a frequência de idas ao cinema ou de preferência por filmes está relacionada com renda, sexo, idade, etc. Existem *vários métodos de estatística para verificar a relação entre variáveis*, mas nenhuma delas garante que se trate de uma relação causal. Para isto, é necessário uma aproximação do modelo lógico; e) *descrever as diferenças entre dois ou mais grupos de indivíduos*, p. ex.: se os habitantes da zona rural vão com mais frequência ao cinema que os habitantes da zona urbana. *Trata-se, na estatística, de um caso especial, em que se mostra a relação entre duas variáveis.* Entretanto, podem-se incluir comparações de medidas de variação dentro dos grupos ou de relação entre variáveis nos dois grupos[50].

O pesquisador utilizará uma série de técnicas para analisar o material que foi obtido. A *interpretação vai consistir* em expressar o verdadeiro significado do material, que se apresenta em termos dos propósitos do estudo a que se dedicou. O pesquisador fará as ilações que a lógica lhe permitir e aconselhar, procederá às comparações pertinentes e, na base dos resultados alcançados, enunciará novos princípios e fará as generalizações apropriadas.

---

50. Selltiz, Jahoda, Deutsch e Cook, op. cit., p. 461s.

CONCLUSÃO

Ao iniciarmos este livro, dissemos que sua finalidade era oferecer aos principiantes noções básicas sobre a elaboração de um projeto de pesquisa, servindo, ao mesmo tempo, de roteiro que pudesse ajudar aos alunos no acompanhamento da orientação dada pelo professor. Se conseguimos alcançar ou não este objetivo, só o leitor poderá dizer.

Algumas dificuldades tiveram que ser por nós vencidas. Não é fácil simplificar conceitos que, de si mesmos, são muito complexos. Ao tentar fazê-lo, corremos o risco de truncá-los ou de faltar-lhes à fidelidade. Além disto, tivemos que nos mover constantemente em campo de assuntos controvertidos, procurando nos firmar em posições mais comumente aceitas e, quando era possível, fazendo, pelo menos, uma rápida alusão de que a matéria era discutível.

O nosso desejo não foi apenas de oferecer "noções", dentro de um plano meramente especulativo, conceitual. Mas visamos, de modo especial, a sua funcionalidade, isto é, como poderiam ser utilizadas de modo operacional. Por outro lado, não tivemos intenção de oferecer um conjunto de normas para serem aplicadas automaticamente. O nosso maior intuito foi fazer o leitor *apreender* e *compreender a lógica* subjacente aos procedimentos da pesquisa científica, enquanto isto podia ser apresentado num trabalho introdutório como o nosso.

Nem sempre foi possível resguardar o nosso trabalho de toda a complicação, como seria desejável para os principiantes. Aliás, perguntamo-nos se não seria mesmo útil uma certa dose de "complicação", contanto que não fosse confundida com obscuridade ou confusão, e não para embaraçar o leitor ou para fazê-lo imaginar que uma pesquisa é algo inacessível, mas para que não minimizasse os esforços, sentindo a exigência de estudo e de aplicação para realizá-la.

Num ou noutro ponto, talvez fôssemos repetitivos. De fato, uma ou outra questão, que nos parecia mais difícil de compreender, foi repetida em contexto diverso para que se pudesse vê-la de modo diferente e sob novas perspectivas.

Finalmente, parece-nos que o modo mais eficaz para se aprender a elaborar um projeto de pesquisa é elaborá-lo. Para isto imaginamos um modelo, colocado em Apêndice, e cujo preenchimento pudesse servir como exercício didático. O nosso desejo era que tendo uma visão de conjunto, como tentamos apresentar neste livro, e realizando o seu primeiro exercício sob a orientação do professor, pudesse o aluno caminhar em frente, aprofundando-se na teoria e na prática da pesquisa científica, transformando-a em guia, para aumentar seus conhecimentos e dentro de suas possibilidades contribuir para ampliar o campo do saber humano.

APÊNDICE*

MODELO DE UM PROJETO DE PESQUISA
(Franz Victor Rudio)

1.1. TÍTULO DA PESQUISA:

1.2. ENTIDADE:
Nome da Entidade
Endereço e telefone

1.3. COORDENADOR DA PESQUISA:

Nome
Endereço

1.4. PARTICIPANTES DE NÍVEL TÉCNICO:
a) Nome
Endereço
b) Nome

Endereço
c) Nome
Endereço

---

* Este modelo foi feito para servir como exercício didático de elaboração de Projeto de Pesquisa. Desta maneira, foi omitido o item referente ao plano de custos.

1.5. Prazo previsto para a entrega da pesquisa

1.6. Local e data

1.7. Assinaturas:

Coordenador: a)

P. Técnico: b)

c)

d)

2. PLANO DA NATUREZA DO PROBLEMA E DA(S) HIPÓTESE(S)

2.1. FORMULAÇÃO DO PROBLEMA DA PESQUISA:

2.2. SENTIDO DO PROBLEMA (Uma explicação sumária)

2.3. ENUNCIADO DA(S) HIPÓTESE(S)

2.4. DEFINIÇÃO DOS TERMOS DO PROBLEMA E DA(S) HIPÓTESE(S)

2.5. EXPLICAÇÃO *SUMÁRIA* DO EMBASAMENTO TEÓRICO DO PROBLEMA DA PESQUISA (indique em anexo a bibliografia que será utilizada):

3. PLANO DOS OBJETIVOS E JUSTIFICATIVA DA PESQUISA

3.1. JUSTIFICATIVA DA PESQUISA:

3.2. OBJETIVOS GERAIS DA PESQUISA:

3.3. OBJETIVOS ESPECÍFICOS DA PESQUISA:

4. PLANO DA DESCRIÇÃO DA POPULAÇÃO E DA AMOSTRA

4.1. ÁREA GEOGRÁFICA EM QUE SERÁ EXECUTADO O PROJETO (Estado, Município, Bairro, etc.):

4.2. DESCRIÇÃO DA POPULAÇÃO EM QUE O PROJETO SERÁ EXECUTADO:

4.3. SE O PROJETO FOR EXECUTADO POR AMOSTRAGEM, JUSTIFICAR:

4.4. MANEIRA DE SELECIONAR A AMOSTRA E CARACTERIZAÇÃO DA MESMA:

5. PLANO DO EXPERIMENTO

5.1. ENUNCIADO DA(S) HIPÓTESE(S) ESTATÍSTICA(S):

5.2. DESCREVER O MODELO DE EXPERIMENTO QUE SERÁ UTILIZADO, APRESENTANDO O SEU DIAGRAMA:

5.3. NÍVEL DE SIGNIFICÂNCIA DO EXPERIMENTO:

5.4. VARIÁVEIS QUE SERÃO CONTROLADAS E COMO SERÃO CONTROLADAS:

5.5. DESCREVER O INSTRUMENTO DA PESQUISA (colocar em anexo uma cópia do instrumento):

5.6. COMO O INSTRUMENTO SERÁ USADO (OU APLICADO):

5.7. QUE INFORMAÇÕES O INSTRUMENTO PRETENDE COLHER?

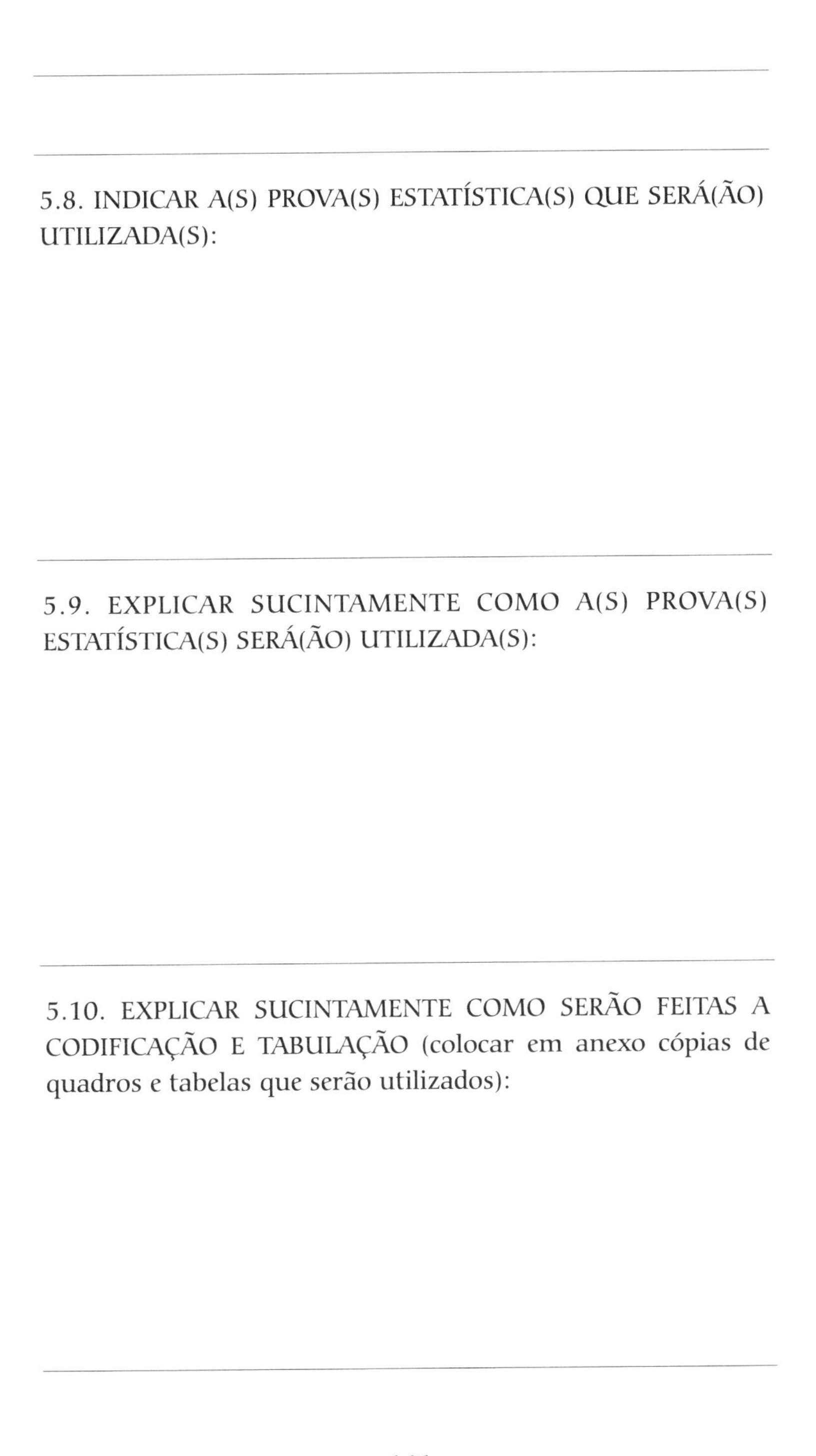

5.8. INDICAR A(S) PROVA(S) ESTATÍSTICA(S) QUE SERÁ(ÃO) UTILIZADA(S):

5.9. EXPLICAR SUCINTAMENTE COMO A(S) PROVA(S) ESTATÍSTICA(S) SERÁ(ÃO) UTILIZADA(S):

5.10. EXPLICAR SUCINTAMENTE COMO SERÃO FEITAS A CODIFICAÇÃO E TABULAÇÃO (colocar em anexo cópias de quadros e tabelas que serão utilizados):

6. CONCLUSÃO FINAL E OBSERVAÇÕES SOBRE O PROJETO:

7. CRONOGRAMA:
(coloque em anexo o cronograma da execução do Projeto, especificando as metas que serão cumpridas e em que tempo.)

BIBLIOGRAFIA

ASTI VERA, Armando. *Metodologia da pesquisa científica*. Porto Alegre: Globo, 1974.

BACHRACH, Arthur J. *Introdução à pesquisa psicológica*. 1. ed., 4ª reimpressão: São Paulo: EPU, 1975.

BELCHIOR, Procópio G.O. *Planejamento e elaboração de projetos*. Rio de Janeiro: Companhia Editora Americana, 1972.

BEST, J.W. *Como investigar en educación*. Madri: Ediciones Morata, 1961.

BRAVO, S. Sierra. *Técnicas de Investigación Social*: Ejercicios y problemas. Madri: Paraninfo, 1976.

BRUGGER, Walter. *Dicionário de Filosofia*. 2. ed. São Paulo: Herder, 1969.

BUNGE, Mário. *La investigación científica*: su estrategia y su filosofia. 5. ed. Barcelona, Caracas, México: Ariel, 1976.

CAROSI, Paulo. *Curso de Filosofia*. 3. vol. São Paulo: Paulinas, 1963.

CASTRO, Cláudio Moura. *Estrutura e apresentação de publicações científicas*. São Paulo: McGraw-Hill do Brasil, 1976.

CERVO, Amado Luiz & BERVIAN, Pedro Alcino. *Metodologia Científica*. 2. ed. São Paulo: McGraw-Hill do Brasil, 1977.

CHURCHMAN, C. West. *Introdução à teoria dos sistemas*. Petrópolis: Vozes, 1971.

DEWEY, John. *A inteligência e a investigação*. In: Edward, Irvin. *John Dewey e sua contribuição*. Rio de Janeiro: Fundo de Cultura.

FESTINGER, Leon & KATZ, Daniel. *A pesquisa na Psicologia Social*. Rio de Janeiro: Editora da Fundação Getúlio Vargas, 1974.

GARRET, Henry. *Estatística na Psicologia e na Educação*. Rio de Janeiro: Fundo de Cultura, 1962.

GOODE, William J. & HATT, Paul K. *Métodos em pesquisa social*. 4. ed., 1ª reimpressão. São Paulo: Companhia Editora Nacional, 1973.

HAYAKAWA, S.I. *A linguagem no pensamento e na ação*. 7. ed. São Paulo: Livraria Pioneira Editora.

HAYMAN, John L. *Investigación y educación*. Buenos Aires: Paidós, 1969.

HAYS, W.L. *Quantificação em psicologia*. São Paulo: Herder, 1970.

HOLANDA, Nilson. *Planejamentos e projetos*: uma introdução às técnicas do planejamento e elaboração de projetos. 2. ed. Rio de Janeiro: Apec, 1975.

HYMAN, Ray. *Natureza da investigação psicológica*. Rio de Janeiro: Zahar, 1967.

KAPLAN, Abraham. *A conduta na pesquisa*: metodologia para as ciências do comportamento. São Paulo: EPU/ Edusp, 1975.

KOHAN, Nuria Cortado de. *Manual para la construcción de testes objetivos de rendimento.* Buenos Aires: Paidós, 1970.

KRICK, Edward V. *Métodos e sistemas.* 2. vol. Rio de Janeiro: Livros Técnicos e Científicos Editora, 1971.

LABORATÓRIO DE ENSINO SUPERIOR da Fac. de Educação do RS. *Planejamento e organização do ensino*: um manual programado para o treinamento do professor universitário. Porto Alegre: Globo, 1975.

MANN, Peter H. *Métodos de investigação sociológica.* 3. ed. Rio de Janeiro: Zahar, 1975.

MINON, Paul. *Iniciation aux méthodes d'enquête sociale.* Bruxelas/Paris: La pensée catholique/Office général du Livre, 1959.

NICK, Eva & Kellner, Sheila R. de O. *Fundamentos de estatística para as ciências do comportamento.* Rio de Janeiro: Renes, 1971.

OGBURN, William F. & NIMKOFF, Meyer, F. *Sociologia.* 8. ed. Madri: Aguillar, 1971.

O'NEIL, W.M. *Introducción al método en psicologia.* Buenos Aires: Eudeba, 1968.

OSTLE, Bernard. *Estadística aplicada*: técnicas de la estadística moderna, quando y onde aplicarla. México: Editorial Lamusa/Wiley S.A., 1965.

POPPER, Karl. *A lógica da pesquisa científica.* São Paulo: Cultrix/Editora da Universidade de São Paulo, 1975.

REUCHLIN, Maurice. *Os métodos em psicologia.* São Paulo: Difusão Européia do Livro, 1971. [Coleção Saber Atual].

REY, Luís. *Como redigir trabalhos científicos para publicações em revistas médicas e biológicas.* São Paulo: Editora Edgard Blucher, 1976.

RODRIGUES, Aroldo. *A pesquisa experimental em psicologia e educação.* Petrópolis: Vozes.

RUDIO, Franz Victor. *Orientação não diretiva na educação, no aconselhamento e na psicoterapia.* 3. ed. Petrópolis: Vozes, 1976.

RUMMEL, Francis J. *Introdução aos procedimentos da pesquisa em educação.* Porto Alegre: Globo, 1972.

SELLTIZ, JAHODA, DEUTSCH & COOK. *Método de pesquisa em relações sociais.* 2. ed. São Paulo: Editora da Universidade de São Paulo, 1967.

SIEGEL, Sidney. *Estadística no paramétrica aplicada a las ciencias de la conducta.* 2. ed. México: Trillas, 1974.

SPIEGEL, Murray R. *Estatística*: resumo da teoria. Rio de Janeiro: Ao Livro Técnico, 1967.

VALLEJO-NAGERA, J.A. *Introducción a la Psiquiatria.* 4. ed. Barcelona: Editorial Científico-médica, 1969.

VAN DALEN, Deobold B. & MEYER, William J. *Manual de Técnica de la investigación educacional.* Barcelona: Ediciones Omega, 1971.

WEATHERALL, M. *Método Científico.* São Paulo: Editorial Universidade de São Paulo/Editorial Polígono, 1970.

WHITNEY, Frederick L. *Elementos de investigación.* Buenos Aires: Paidós, 1963.